ANDREAS GRYPHIUS

Carolus Stuardus

TRAUERSPIEL

HERAUSGEGEBEN
VON HANS WAGENER

PHILIPP RECLAM JUN. STUTTGART

Universal-Bibliothek Nr. 9366/67
Alle Rechte vorbehalten. © Philipp Reclam jun. Stuttgart 1972
Gesetzt in Petit Garamond-Antiqua. Printed in Germany 1972
Herstellung: Reclam Stuttgart
ISBN 3 15 009366 X

ANDREÆ GRYPHII

Ermordete Majestät.

Oder

CAROLUS
STUARDUS

König von Groß Britanien.

Trauer-Spil.

NOBILIS. AMPLISS. ET CONSULTISS.
VIRO.

DN. GODOFREDO
TEXTORI.

Haereditario in Mersin. Lygio-Bregen- 5
si ac Wolaviensi Secretario
Domino & Amico Colendo.

CAROLUM Tragoediam, postquam nuper ultimùm recognovi,
ac quod dudum publico pollicitus, uberiore facinoris atrocis-
simi adumbratione insignem theatro reddidi; Tu maximè 10
occurrebas VIR NOBILISSIME, cujus fidei atq; Tutelae
permitterem scriptum ambigua huc usqve judiciorum statera
libratum. Ut ut enim, qvibus cordi fas, decorq; rerum atqve
integritas recti ingente encomio exornarint Poema, qvod
paucos intra dies attonito, atq; vix condito in hypogaeum 15
REGIS cadavere sceleris horror expressit: fuere tamen qvi
censerent imprudentem me, haud tantum nimis ex propinqvo,
sed qvasi ipso parricidii momento Sontes arguere. Alii stilo
nimis acri, signum qvasi ultionis dare contendebant, absit
enim illos ut morer qveis flagitii aestimium inerat. Absolvit 20
tandem Germania fermè universa insons carmen, qvae Ter-
tiùm Tragoediam hancce meam flagitabat. Itaq; ne spernere
judici[334]um Serenissimorum, atqve Illustrissimorum, de-
niq; Eorundem viderer, qvi omne in hisce studiis aevum tri-
vere, opus REGIO CRUORE horridum, denuo aggressus, 25
addidi quae & longior dies, & nonnulli qva scriptis in publi-
cum, qva monitis calamoq; sollicito rerum earundem dete-
xere. Tuum verò Nomen VIR NOBILISSIME atqve AM-
PLISSIME vel ideò praefigere mihi visum; memorem ut me
testarer temporis illius qvo post decennium ab exteris redu- 30
cem volupe Tibi fuit Fraustadii noscere Hominem, qvem dein
omni conatu amplectendum rebare. Hinc qvotiescunq; data
occasio, extollere Tu, Amicum, conciliare mihi tum Viros
Maximos: alia deniqve & nova Exilia cogitanti, injicere ma-

num, & excutere animo desiderium eorum, ad qvae tum in remota latè loca vocabar. Imputent alii suis in me studiis, qvod Patria me retineat; dum constet incitamento Te fuisse, illis ut me legerent, mihi ut haererem. Sed & tristiora, subinde animi Tui sensa nudavere; cum crebro, Dulcissimorum funere consternatum, solatio fulcires, & qvoties fortuna contra daret, spei meae consuleres. Nec mutasse Te, utut nos locorum intercapedo jam destineat, nuper accepi, cum Filiolae meae cladem miserarere. Adde alia quae spondent haud ingratum Tibi fore, hoc qvod dico munus. Vix mihi decretum fuerat ordiri haecce mortualia, cum creber monitor opus urgeres. Obrepebat tum mihi maestissimo nescio qvis torpor & scriptionis taedium. Tu solari curas, & me mihi reddere. Formidabam publi[335]co credere foetum praematurum: Tu omni ope editionem promovere. Habe ergo qvod adoptione adsciscas, sed expolitum: cum rude id Tibi perplacuerit. Postremum libuit TRAGOEDIAM ad TE mittere, qvi, qvae hocce genus scripti exigat, aprimè nosti. Itaq; exprimendo huic parricidio, colores qvi decent, adhibuerim nec ne; Tuum erit statuere. Sane, si ullibi, hic certè obtinet illud Petronii: *Non res gestae versibus comprehendendae sunt, qvod longe melius historici faciunt: sed per ambages, Deorum,* adde & spectrorum, Larvarumq; *ministeria, & fabulosum sententiarum tormentum praecipitandus est liber spiritus, ut potius furentis animi Vaticinatio appareat, qvam religiosae orationis sub testibus fides.* Qvamvis igitur seriem sceleris immutare, aut penitus evertere, mihi haud fuerit integrum: ea tamen Peripetiarum Varietate theatrum hoc instruxi, ut plura me jam olim praedixisse, qvàm narrasse non nemo affirmarit. Sed Tui, ut dixi, haec arbitrij sunto! nec enim pluribus TE detinere visum, plus satis iis ut constat libellis occupatum qvos CELSISS. ILLUSTRISSIMUSq; PRINCEPS, dum curarum partem in Te devolvit, integritati Tuae atq; sollicitudini permisit. Salve, & dum supplicum precibus continuus, emolumento publico, commodo singulorum faves: & hos faeda suorum conjuratione oppressi REGIS innocentissimos

qvaestus admitte. Sic PRINCIPI CELSISS. Sic Ducatui
sospitem diu servet supremus Regum atq; populorum Arbiter
DEUS, quod vovet & Animo

Nobil. Amplitud. T.
addictiss.
A. GRYPHIUS.

Glogov Idib. Januar.
A. cIɔ Iɔ CLXIII.

Sta Viator,
Si stare sustines
Ad Tumulum TYRANNI
Cujus Jussu & Auspiciis
Magnae Britanniae ATLAS corruit.
Principes Insularum Colossi cecidere.
imo
Monumentum Charitatis prorsus sublatum.
Noli mirari Vastum hoc Frontispicium.
Fastus Vasta amat.
Et cujus dextera sceptrum & diadema
Imo ipsam securitatem securi subjecit;
Hujus cineres MODERATA detrectant.

HIC EST, AUT FUIT

Nescio enim an sub hoc marmore qviescere
possit, aut voluerit,
Qui vivus, nec usqvam, nec unqvam qvievit,
Perversus semper, & ad omne motuum genus procax.

OLIVERIUS CROMWELLIUS.

Nobilis sceleribus Anglus.
Subditorum Pessimus.
Qvi mediocriter litteris imbutus.
Ruri egit.
Horrenti adhuc dum Publico
Pestem Publicam,
Ubi decoctor factus, facultatum Paternarum
Armata tandem Egestate
Falcem misit in alienam
Imo Regiam messem.

[337] Turbis enim undiqve inter Insulanos erumpentibus
　　　Junxit se malevolorum turmis.
　　　　Et debellare ausus
　　　Qvam defendere par fuisset Purpuram.
　　Flagitiis & consiliis ejus Improbissimis　　　　　　　35
　Immeritò qvidem, prosperè tamen succedentibus
　　Et Felix, & Prudens inter suos audivit,
　　　Sed revera PATRIAE Percussor.
Qvi cum omnium cervices appetere simul non valeret

INDEPENDENTIUM PRINCEPS　　　　40

　Aggressus est eam a qva omnes pendebant.
　　　Et novo prorsus facinore.
　　　Sons Insontem accusavit,
　　　　Reus REGEM damnavit.
　Et subjectus SERVUS Securi DOMINUM subjecit.　　45
　Deinde PROTECTOR Reipublicae proclamatus
　Aut seipsum potius subornato ore proclamans
　　　　Religionem Impietati,
　　　Venenis Remediorum titulos,
　　　　Olivam gladio　　　　　　50
　Et AEqvitatem Tyrannidi praetexens
Feliciores vitae dies non Albo sed Rubro calculo notavit.
Et omnes damnavit absq; sanguinis effusione elapsos.
　　Inter tot concatenata facinora
　　Rarissimo retrò seculis exemplo,　　　　55
　　　Omne Regium Nomen
　　　Et qvicqvid purpurae fuit
　　　Inaudita rabie proculcans
　　　In Solio Stuartorum
　[338] Veris regni Haeredibus indignè exulantibus　　60
　　Inter adscita Regni ornamenta
　Et personatos Imperii characteres,
Haud paucos Christianorum Principum Oratores
Si non gratulantes, tamen qvasi Amicos audivit.

Et innumeras paenè Conjurationes
Percusso REGI,
Profligati Hominis sangvine jam jam parentaturas
Fulguris instar evanescere vidit.
Tandem Rebus ex Voto, certe suo, Compositis
Tranqvilla mente,
Imo ut apparebat
Inter Felicioris Vitae desideria
Certè suspiria multorum
Turbulentum Spiritum placidè exhalavit.
Abi Viator.
Mirare tragica mortalium ludibria.
Et venerari disce Regium fastigium.
Caeterùm
Noli inqvirere in latentes rerum Causas
Et mira Numinis effata,
Sed tacito potius horrore ingemisce:

REX SICA PERIIT, SED SICCA MORTE TYRANNUS.

C. H. A. H. S. Caes. Maj.
Consiliar.

82 Der Verfasser ist wahrscheinlich Christian Hofmann von (ab) Hofmannswaldau.

Als Redende.

Der Geist MARIAE STUARTAE. Kônigin von Schottland.

Der Geist THOMAE WENTWORTS. Graffen von Straffort Kônigl. Stadthalters in Irrland.   5

Der Geist WILHELM LAVDS. Ertzbischoffs von Cantelberg.

CARL STUARD. Kônig von Groß-Britannien.

ELISABETH   ⎫ des Kônigs
HENRICH. Hertzog von Glocester. ⎬ jûngste Kinder.   10

D. JUXTON. Bischoff von Londen.

Hoffmeister des Chur Fûrst Pfaltz Graffens.

THOMAS FAIRFAX, Feldherr der Engellândischen Heere / oder General.

Seine Gemahlin.   15

Ein Edelknabe / welcher ihr auffwartet.

OLIVIR CROMWEL. Stadthalter des Feldherren oder Lieutenant.

Gesandten der Schotten.

Gesandten aus Holland.   20

Zwey Engellândische Grafen.

MATTHIAS THOMBLINSON. Obrist.

FRANCISCUS HACKER. Obrist.

Noch zwey Obristen.

DANIEL AXTEL. Obrist.   25

HUGO PETER. Ein Geistlicher. Der Vhrheber der ungebundenen oder freyen Geister Independenten genant / und zugleich Krigs-Obrister.

[340] WILHELM HEWLET. Obrister und Môrder des
Kônigs.

POLEH. Einer aus des Kônigs Richtern.

Die Rache.

Als Stumme.

Die Edelen welche dem Kônig auffwarten.

Die Stats Jungfern der Kônigl. Frâulin.

Leibwache des Feldherren.

Diner der Gesandten.

Krig / Ketzerey / Pest / Tod / Hunger / Zweytracht / Furcht /
Eigenmord / welche der Rache nachfolgen.

Dorißlar vermummet.

In den Vorstellungen werden abgebildet Carl der II. nebenst
dehnen vor Ihm knienden und schwerenden Vnterthanen.

Die Leiche Bratshaws. Iretons und Cromwels.

Die Hencker / welche Hugo Petern und andere hinrichten.

Die Reyen sind die Geister derer in Engelland ermordeten
Kônige. Der Syrenen / der Engellândischen Frauen und
Jungfern / des Gottesdinsts oder Religion und der Ketzer.

Der Schauplatz bildet ab London / und den Kôniglichen
Hoff. Das Traur-Spill beginnet umb Mitternacht und en-
det sich umb die dritte Stunde nach Mittage.

ANDREAE GRYPHII

Ermordete Majestät /
Oder
CAROLUS STUARDUS.
König von Groß Britannien.

Traur-Spil.

Die Erste Abhandelung.*

Die Gemahlin des Feld Herren Fairfax.

So ist / ihr Himmel / dann die letzte Nacht verhanden.
Die wie man leider wähnt / den König in den Banden
Doch auch bey Leben find / und drewt der nåchste Tag
Des frömsten Fürsten Hals mit dem verfluchten Schlag /
Der Krone / Zepter / Reich und Throne wird zusplittern /   5
Vnd die erschreckte Welt durch disen Fall erschüttern?
Sind aller Hånde los? Wil nimand widerstehn?
Sol Carl vor seiner Burg so schåndlich untergehn?
Vnd wie leicht Glück und Zeit sich åndern und verkehren
Durch den verfluchten Tod ohn Seel und Haubt bewehren?   10
Bebt die ihr herscht und schafft! bebt ob dem Trauerspill!
Der welchem Albion vorhin zu Fusse fill:*
Soll auff dem Mord-gerüst in seiner Haubt-Stadt sincken
Vor schnöder Hencker Fuß! dem alles auff ein Wincken
[342] Zu Dinst und Willen stund; wird freventlich gefast   15
Verurtheilt und enthalst vor seinem Erb-Palast!
Kein Mann beut Hand noch Hülff! ist schon das Land
                                                    bestürtzet;

* bedeutet hier und im folgenden, daß Gryphius in seinen Anmerkungen
auf diese Zeile Bezug nimmt.
 5 *zusplittern:* zersplittern.
 7 *los:* untätig, träge.
10 *bewehren:* bewähren, dartun.

Traurt gleich das weite Reich / doch bleibt der Mutt
                              verkůrtzet!
Ein unerhôrte Furcht nimt aller Seelen ein /
Der Britten Kônig steht in Albion allein!
Wol dann! weil euch die Seel' Ihr Månner gantz entgangen;
Wil ich / Ich schwåchstes Weib mich dessen unterfangen /
Was Zeit / Mitleiden / Treu / Recht / Tugend / Vnschuld /
                              heist.
Du aller Fůrsten Fůrst! ermuntre meinen Geist.
Erwecke den Verstand / gib Wort auff meine Lippen /
Gib Licht ins Hertz / daß ich die ungeheuren Klippen
Behutsam meid / und ob ich etwa Segel streich;
Jedoch (obwol durch Sturm) gewůndschtes Land erreich.
Zwey die mein Ehgemahl stets ohne falsch befunden;
Die haben schon mit mir auffrichtig sich verbunden
Vnd meinen Rath belibt. Fållt mein Gemahl mir bey;
So geht der Anschlag fort / so ist der Kônig frey.
So hab ich unser Heil und Brittens Ehr erhalten.
So wird mein eigen Ruhm durch keine Zeit veralten.
So wird / wer itzund lauscht als sonder Hertz und Rath /
Wenn dise Sturm-Wolck hin beneyden meine That /
Vnd eyfern meinen Ruhm durch Treu zu ůbersteigen
Vnd kracht der Himmel / sich behertzter zu erzeigen
Ja suchen — — — — —

Fairfax und seine Gemahlin.

— — — — Wie daß ich mein Licht sie alhir find?
G e m. Wie daß die Gåste schon / mein Trost / geschiden
                             sind?
F a i r f. Mein Engel! es wird spåt! auch weiß sie zu was
                             Sorgen
Der nahe Tag uns ruff'. G e m. Es muß ihn nechster Morgen
In neuer Ehre schaun! F a i r f. Mein Trost zu ihrer Ehr.

21 *entgangen:* verlorengegangen.
35 *lauscht:* zögert, abwartet.

G e m. Wahr ists das für und für ich neuen Ruhm anhör /
Den seiner Tugend nur mein Glück allein zu dancken /   45
Sein hoher Name wird / weil Menschen stehn / nicht
                                              wancken.
[343] Er hat der Länder Recht auff festen Fuß gesetzt.
Er hat den schwachen Statt / der tödtlich fast verletzt
Durch Königliche Sig' / aus letzter Angst gerissen.
Es wird von seinem Fleiß die greise Nach-Welt wissen;   50
Krafft des Er beyde Reich vereinigt / und durch Macht
Mehr durch Verstand zu Ruh und in Gehorsam bracht.
Er siht was wider Ihn Schwerdt oder Stahl erhoben;
Gebunden oder tod. Die Völcker sind verstoben
Die so von West als Nord mit neuer Glutt gedreut.   55
F a i r f. Die Flott ist uns zu Dinst und Stuards Heer
                                              zerstreut.
G e m. Gantz Albion gestehts daß seine tapfre Thaten
F a i r f. Bey höchst verwirrtem Werck' und über Wundsch
                                              gerathen.
G e m. Kont' etwas auff der Welt mir angenehmer seyn?
Mir / die ich vor der Welt durch seine Stralen schein?   60
Mir / die in keuscher Eh der grosse Fairfax libet /
Mir / der er seine Seel' allein zu eigen gibet /
Mir / der ich Brittens Ruhm in Hertz und Armen schliß;
Die außer Ihm mich selbst und Welt und alles Miß?
F a i r f. Mein Licht ihr hoher Geist / und die erläuchten
                                              Sinnen /   65
Die auch der Glider Ros' und Liljen abgewinnen.
Die immer neue Glutt die ich in Ihr verspür:
Verbinden mein Gemütt auff stets. Ich hab an Ihr
Das Höchste was Gott hir den Menschen kan verleihen.
G e m. Ich kan mich aller Gunst des leichten Glücks
                                              verzeihen   70

46 *weil:* solange.
50 *Fleiß:* Eifer.
66 *abgewinnen:* den Sieg abgewinnen, übertreffen.
70 *sich verzeihen:* verzichten auf.

Nun der geneigte Gott dem Helden mich vermählt /
Dem keiner sich vergleicht. Nun mich der Held erwehlt
Der ein verbunden Hertz auch unvergleichlich libet.
F a i r f. Ein Hertz das Anlaß stets zu neuer Libe gibet.
G e m. Auch wol zu neuen Ruhm (da mir zu reden frey.)
F a i r f. Mein Engel! Sie begehr / es sey auch was es sey.
G e m. Ich weiß / mein Leben kan mir keine Bitt abschlagen /
F a i r f. Eh' wolt ich Stahl und Qual und grimsten Tod'
                                                        ertragen.
G e m. Ich fuß' auff dise Gunst und bring Ihm etwas vor
Was aller Zeitten Zeit mit nie verstopfftem Ohr
Von ungemeinem Ruff wird ewig preisen hören:
Mein Licht! Ich ruff ihn auff die Staffel höchster Ehren.
[344] F a i r f. Ich weiß ihr hoher Geist durchforscht der
                                                Sachen Grund /
Vnd gab wol ehmals ihr schön' Anschläg in den Mund.
Sie melde was sie wündscht. Ich hör es sonder weigern.
G e m. Ein Stück ists daß sein Lob kan auff unendlich
                                                        steigern.
Ich heische Tapferkeit: doch die gar ungemein.
Kan mein Gemahl was mehr / denn höchst-großmüttig seyn?
F a i r f. Worinnen soll ich doch die Tapferkeit erweisen?
G e m. In dem daß er verzeih und Gnad uns lasse preisen
F a i r f. Gnad und verzeihen? Hertz wie? mangelt diß
                                                in mir?
G e m. Anitzt! Er stell ihm Herr des Königs Vrtheil für?
Anitzt ists Zeit sein Angst / doch mässig / zu versüssen.
Anitzt ists Zeit die Band und Kercker auffzuschlissen.
Was spilt Gelegenheit Ihm Herr nicht in die Hand?
Wird diser Tag verschertzt / läst er diß teure Pfand
Der Tugend Ihm entgehn; So ists auf stets verlohren.
Mein Licht. Er steht bestürtzt? Was hat er nicht geschworen[*]
Als er in Calidon – – – F a i r f. Ach Hertz! was gibt sie an!
Diß ist ein Rath der Beid' auff ewig stürtzen kan.

99 *Calidon:* Schottland.

Libt mich mein Trost nicht mehr? und solt ich diß wol
                                          glauben?
So ist es schon genung die Seele mir zu rauben.
Libt sie dann (wie sie pflag) so reitzt der Vberfluß
Von Ehrendurst sie fort zu unbedachtem Schluß /
Der mir den Hals abspricht / und sie in tiffste Schmertzen   105
Vertäufft. Wo denck' ich hin? Es läst sich hir nicht schertzen.
So bald der König nur auff freyen Fuß gestelt;
So schleust der Kercker mich der Ihn geschlossen hält.
So werd auff dem Gerüst das vor Ihn auffgebauet /
Ich bluttig und enthalsst / statt seiner angeschauet.   110
Drumb schlage sie / mein Licht / den Anschlag aus der Acht
Wo eine Gunst zu mir in ihrem Hertzen wacht.
Sie glaube daß ich nicht was von Ihr komt verwerffe;
Nur daß ich nicht das Beil auff meinen Nacken schärffe.
Sie glaub ich achte nicht zu vil mein eigen Heil;   115
Doch ist ihr Leben mir und Wolfahrt noch nicht feil.
[345] Gesetzt auch daß ich Sie aus meiner Seelen stelte;
Vnd selbst auff mich und sie so grimmig Vrtheil fällte;
Wird nicht der Heere Macht nechst dehnen widerstehn /
Die mir schir jede Stund an beiden Seitten gehn?   120
Wird Cromwel Stadt und Land und Reich nicht auff mich
                                          hetzen?
Wird nicht das Vnterhauß sich grimmigst widersetzen?
Mein Licht! den Rath laß ich auff seinen Würden ruhn:
Doch läst was herrlich scheint und gutt / nicht stets sich thun.
G e m. Es sey daß ich mich nicht nach Vorsatz hab
                                          erklehret;   125
Es sey daß er was ich / nicht unbedacht / begehret
In Eil hab überhört (wie leicht ein Wort verrinnt
Wann der bemühte Geist nur nach den Sachen sinnt /)
Mein Herr beachtet nicht die Richt-schnur meiner Bitten.
F a i r f. Ich weiß / Ihr Vorsatz kommt aus hochgesinnten
                                          Sitten.   130

106 *Vertäufft:* vertieft.
119 *nechst:* nächstens, demnächst.

G e m. Mein Herr / diß ist es nicht was er erwegen soll.
Er denck' auff meine Red' und so kommt alles woll.
Anitzt ists Zeit sein Angst / doch mässig zu versüssen
Ich wil Gnad und dennoch Maß in Genade wissen.
Er hat der Länder Heil / der Häuser Recht versehrt /
Er hat der Britten Ruh durch grimmen Krig verstört /
Er ist nicht wehrt das Schwerdt und Reichs-stab mehr zu
                                              führen;
Es sey! ich steh es zu / er soll den Hals verliren:
Mein Hertz das ist zu vil / hir / hir / – – F a i r f. Recht! ich
                                              versteh
Wo mich Vernunfft nicht treugt; worauff mein Engel geh.
G e m. Ich bitt / umb / was ihm leicht zuthun – – F a i r f.
                                              Vmbs Königs Leben?
G e m. Recht / doch so / daß er sich durchauß nicht könn'
                                              erheben /
Noch wider Reich noch uns – – F a i r f. Ich hör es was sie
                                              mein' /
Sie wil das Carl vergeh' / in langer Kercker Pein?
Ach Hertz! es ist sehr schwer vor ein durchlaucht Gemütte!
Meint sie das Stuard selbst bewillig ihre Bitte?
Nein sicher! so ein Geist der nicht an Erden klebt /
Der nimand dinen kan / der durch die Lüfften schwebt
Verlacht den grimsten Tod / und zagt ob stetten Banden.
Das Beil krönt seinen Ruhm / die Fessel seine Schanden.
[346] Sie dann versichre sich / das Carl sein Ende küß /
Daß Ihn der kurtze Tod aus langer Qual entschliß /
Daß Ihn nichts schwerer drück' als Kerker / Wach' und
                                              Schlösser /
Das Gnade die sie sucht nicht seinen Stand verbesser /
Wol seine Noth vermehr'! Ach! wer Mitleidens voll;
Spürt numehr was man itzt dem Fürsten wündschen soll!
G e m. Das Carl in stetem Weh' in Stanck und Kercker
                                              schmachte /

143 *Noch wider:* weder gegen.

Daß Ihn was vormals Ihm zu Willen stund verachte;
Ist gantz mein Vorsatz nicht. Wer so vergraben sitzt;
Ist mehr denn lebend todt er hört was auff Ihn spitzt /   160
Er fühlt wie er verhönt / beseufftzt was er verlohren /
Es scheint ob würd' er stets zu Schmertzen neu geboren /
F a i r f. Was schlägt sie mir denn vor / zu lindern seinen
Stand.
G e m. Man schick Ihn durch die See in ein benachbart Land.
F a i r f. Wie Hertz! daß er uns frey zu neuer Rach'
entrinne?   165
G e m. Vnd neue Gunst zu uns durch Gunst bestürtzt
gewinne.
F a i r f. Daß er was Freund / was Feind auffs neu auf uns
erreg?
G e m. Schaut wer den Harnisch itzt zu seinem Dinst anleg
F a i r f. Es kan ein kleiner Funck' ein grosses Feur
entzünden.
G e m. Wer ligt; der ligt! und wird noch Freund noch
Mittel finden.   170
F a i r f. Man seh was schon geschehn und noch geschehen kan
G e m. Fill Albion ein Feind mit Nutz von aussen an?
F a i r f. Hat nicht Iberien die weite See bedecket?
G e m. Wich nicht Iberien durch uns're Macht geschrecket?
F a i r f. Verwarlost ich nicht so des Reichs gemeine Ruh?   175
G e m. Ihm steht die Ruh des Reichs durch Macht zu
schützen zu.
F a i r f. Ach daß ich sie und uns nicht durch diß Stück
gefähre!
G e m. Er schütze sich und uns durch Krafft verschworner
Heere.
F a i r f. Diß Stück siht seltzam aus / und macht mich gantz
verdacht.

---

170 *Wer ligt; der ligt:* (Sprichw.) Wer machtlos ist, der ist eben machtlos.
173 Ergänze ›mit seiner Armada‹.
179 *verdacht:* verdächtig.

G e m. Bey dehm nicht der was Gutt und Tapferkeit
                    betracht.

F a i r f. Die Tapferkeit gehört in Schulen vor die Jugend.

G e m. Verzeiht dem Feind'! es ist die schönst und höchste
                    Tugend.

F a i r f. Mein Feind ist Stuard nicht / nun er mir nicht
                    mehr gleich.

G e m. Vnd wündscht mein Trost zu sehn sein höchst-
                    beschimpfte Leich?

[347] F a i r f. Sie weiß / ich habe nicht das Vrtheil
                    außgesprochen?

G e m. Wer es nicht hemmen wil; hat selbst den Stab
                    gebrochen.

F a i r f. Das Heer schlug nach dem Spruch noch Rettungs-
                    Mittel vor.

G e m. Ich rühms daß er sie nicht zu seinem Schimpff' erkohr.

F a i r f. Wer seine Sach umbstößt; muß doch den Mutt
                    erheben.

G e m. Er denck' an Jesus Wort / Vergib / wie wir vergeben.
Mein Trost! er nehme doch des Höchsten Lehr in acht!
Wie wil er doch fort an der heilig-Höchsten Macht
Fußfällig seyn / mein Licht? und eine Gnade hoffen;
Wofern sein Hertz nicht itzt Gott mir und König offen?
Doch ist des Königs Heil hir nicht mein höchstes Zil;
Sein eigen Ruhm und Ehr ists was von ihm ich wil.
Er mißgönn ihm nicht selbst mein außerkornes Leben;
Das Lob das alle Welt der Tapferkeit wird geben /
Die König in die Band aus ihrem Thron verstiß /
Vnd König aus dem Band' und schwersten Tode riß.
Der Tapferkeit / die den / der uns vorhin verletzet:
Aus Schmach und Hohn und Grufft in volle Freyheit setzet.
Die was noch unerhört uns von sich hören liß;
Vnd was ohn Beyspil ist durch erstes Beyspil wiß.
Mein Trost! Er schaue mich vor seinen Füssen ligen / (a)

(a) Sie fället vor ihm nider.

Ich wolte mein Gesicht biß zu der Erden schmigen:
Wenn dise Bittens Art ihn nicht verdåchtig macht;
Als ob er sonder Geist und nichts was trefflich acht.
Idennoch mangelt diß / und sind durch solche Zeichen /
O aller Helden Blum die Sinnen zu erweichen;   210
So sinckt sein Ehgemahl auff die gebeugten Knie: (b)
Er gônne mir den Tag / da ich – – – F a i r f. Mein Leben!
                                             wie?
Glaubt sie / das nunmehr ich nicht bey mir selbst befinde;
Wie trefflich daß man sich des Vorschlags unterwinde.
Ja geh ich was sie wûndscht nicht / wo nur môglich ein;   215
So wil ich ihrer Eh und Hold nicht wûrdig seyn.
Doch fålt die Zeit sehr eng' / auff wehn ist hir zu bauen?
Ich darff dem Cromwel nicht / noch Hunck / noch Hackern
                                             trauen.
[348] Vir Heere sind bestelt zu Carols Traur-Geleit
G e m. Er schaffe Phray und Hunck und Hackern an die seit.   220
Kan hir sein Leibheer nicht den besten Dinst verrichten?
F a i r f. Wo zwey drey ander mir und sonder falsch
                                             beypflichten.
G e m. Er wag es auff die zwey / die uns noch heut ersucht.
F a i r f. Es wåre (wenn sie eins mit uns) nicht sonder
                                             Frucht.
G e m. Was schadets wenn man sich mit ihnen recht
                                             vernehme?   225
F a i r f. Die Morgenstund' ist nur zu disem Werck
                                             bequeme.
G e m. Ach wo sie willig sich erbitten zu dem Stûck!
F a i r f. So geht der Vorsatz fort. G e m. O hôchst-
                                             gewûndschtes Glûck!
Ach mein Herr? sucht er mich mit Worten einzuwigen?

(b) Sie kniet abermals / Er hebet sie auff von der Erden.
216 *Hold:* Huld.
220 *Phray:* Robert Phayre oder Phaire, neben Huncks und Hacker einer
    der Königsmörder.
227 *erbitten:* erbieten.

F a i r f. Wie? glaubt sie daß ich sie / mein Engel kan
                                  betrigen?
G e m. Ach nein! doch grosse Furcht folgt grösserm Hoffen
                                  nach.
F a i r f. Ich geb ihr meine Faust auf was mein Mund
                                  versprach.
Sie folg'! Ich geh zur Ruh' / es ist fast spåt – – –

Die Gemahlin allein.

– – – – – – O Stunden!
Fliht Stunden fliht! kom Tag dein Heil ist Fůrst gefunden
Es trotze Portugal auff der Princesse Mutt.
Die ihres Ehgemals durch Furcht beeystes Blutt
Erwårmt / und Ihn den Thron beredet zu besteigen /
Von dem er sich noch itzt der Welt gekrônt kan zeigen.
Ich hab' erhitzten Grim durch Sanfftmutt abgekühlt.
Ich rett' umb dessen Cron und Ehr und Haubt man spilt.
Vnd wo der Hôchst ihm noch was er verlohr wil
                                  schencken . . . .
Idoch! mein Geist halt inn'! Ich darff so weit nicht dencken.
Vor itzund ists genung daß er den Leib erhalt
Vnd sich gewůndscht entzih der rasenden Gewalt.
Ich kônt außdrücklich zwar dem Ehgemal entdecken
Wer unser; doch es dôrfft auch argen Wahn erwecken
In der gelibten Brust die sich gemeine macht
Durch so geheimen Schluß; reitzt offtermals Verdacht
Auff ihre reine Seel / vil kônnen kaum ersinnen
Wie frembde Månner bloß durch Tugend zu gewinnen.
[349] Drumb besser daß mein Herr die zu der That
                                  verpflicht
Die schon Verstand und Geist nach meinem Zweck gericht.

233 *fast:* sehr.
235 Der Herzog von Braganza führte auf Betreiben seiner Gattin Por-
      tugal zur Unabhängigkeit von Spanien und wurde als Johann IV.
      zum König von Portugal ausgerufen.
244 *gewůndscht:* wunschgemäß, wie ihm zu wünschen ist.

Hugo Peter. Wilhelm Hewlet. Daniel Axtel.

P e t e r. Du wirst gantz Albion den höchsten Dinst
verrichten.*
Du wirst den langen Zanck durch Gottes Richt-Axt
schlichten /
Du wirst der Samuel auff unsern Agag seyn.   255
Du rettest Christus Kirch' und schützest die Gemein.
Du sel'ge Faust! du wirst des Mörders Blutt vergissen /
Der Ertzverräther wältzt sich schon vor deinen Füssen.
Nach disem Donnerschlag wird Ruh und Lust auffgehn;
Dein Ruhm wird mit der Sonn' an ihrem Himmel stehn.   260
D. A x t e l. Der Stats-Rath welcher hoch durch solche That
verbunden;
Beschenckt zum Denckmal dich mit zweymal funfftzig
Pfunden*
Auch wil man in Jern vor dich bemühet seyn;
So bald ein Ehrenstand dort offen; ist er dein.
H e w. Es mangelt nicht an Mutt / es mangelt nicht an
Stärcke   265
Mich reitzt ein inrer Trib zu dem durchlauchten Wercke.
Ich schätz' es hoch / daß ich vor Reich / Kirch / und Gemein
Bey dem Schuld-Opfer sol der hohe Prister sein.
Brich an gewündschtes Licht! der Arm sol Britten rächen;
Vnd darthun was gehör' auff König' ihr Verbrechen.   270
Die eigen Herrschafft ligt mit Stuards schnöder Leich.
Vnd der so große Baum fält ab mit einem Streich.
P e t e r. Er fall' / anitzt ists noth damit das Werck gelinge /
Zu sinnen auff was Art man Stuards Hochmut zwinge.
Wann er der Straffe sich mit Kräfften widersetzt /   275
Auch selbst das Beil erwischt und den und die verletzt.
A x t e l. Wird das Gerüste nicht mit Waffen gantz
umbgeben?

255 *Agag:* König der Amalekiter, der von Saul gefangen und gegen
Gottes Gebot verschont, dann aber von Samuel gerichtet wurde
(1. Sam. 15).
263 *Jern:* Irland; vgl. Gryphius' Anmerkung zu II, 7.

Wie kŏnt er wider uns auch nur ein Aug' erheben
Daß er nicht stracks – – – P e t. Mein Freund / diß ists was
                                              ich befahr.
Wenn er von Zorn erfrischt verzweifelt in die Schar
Sich ob dem Schauplatz stůrtzt / so wůrd er fechtend
                                              sterben;
Hergegen sol die Schmach des Beils den Tod erherben.
[350] Diß ists wohin ich zil'. A x t e l. In Warheit / wol
                                              bedacht!
H e w. Stelt unter das Gerůst' ein außerkorne Macht.
Die (růhr ich einen Fuß) mir bald zu Hůlff erscheine /
Mit Dolchen wol versehn. P e t. Du sihst nicht was ich
                                              meine!
Das Vrtheil wird verletzt / stůrb er durch ihren Stoß.
Man scheide Kopff und Leib. Diß ists was ider schloß.
H e w. Wil er nicht willig knien; so knie er denn
                                              gezwungen!
Man faß Ihm Arm und Haubt so bald er wird besprungen.
A x t e l. Ihr wißt wol das aus Wahn nicht jder Hand
                                              anlegt;
Wann das gezuckte Beil nach blossem Nacken schlågt.
P e t. Man lasse Klammern dann und Sprengen fertig
                                              machen*
Vnd spann' Ihn / sperrt er sich / bey so bewandten Sachen
Mit Fesseln an das Klotz / kein Schimpff ist hir zu groß
Genung daß nicht sein Blutt aus Hertz und Glidern floß
Nach gantz zustůcktem Leib'. H e w. Ich spůr es sey das
                                              beste
Man mach Ihn / auff den Fall / durch die versteckten feste /
Der Helm schliß' ihr Gesicht vor aller Vorwitz ein.

---

279 *befahr:* befürchte.
282 *erherben:* herber machen.
290 *besprungen:* ergriffen, überwältigt.
293 *Sprengen:* Klammern, Fußeisen für Verbrecher.
298 *die versteckten:* wahrscheinlich versteckte Büttel, die auf Hewletts
      Vorschlag unter dem Gerüst stehen sollten (vgl. I, 284–286).

P e t e r. Der Richt-Block mag wol auch was mehr denn
                                        nidrig seyn.   300
A x t e l. Vmb Ihm wie tiff er sey gefallen vorzustellen.
P e t. Vmb Ihm wie er verdint den Todskelch zu vergållen.
Wol ich geb alles an! so bald die Nacht vorbey;
Stelt beyd euch zu mir ein. H e w. So bricht der Thron
                                          entzwey.

Chor der ermordeten Engellåndischen Kónige.

I. Chor.

Die heisse Pest die Kirch und Herd /   305
Vnd gantze Reich in nichts verkehrt /
Auffrůhr / das Ebenbild der Hellen /
Daß die mit Blutt gefårbten Wellen /
Mit tausend Leichen überdeckt
Vnd das verderbte Land befleckt /   310
Wil nach den Bůrgerlichen Krigen /
Auff Stuards trůbem Mord-Platz sigen.

[351]   #### I. Gegen-Chor.

Was hat dich Albion erhitzt?
O Land mit Kónigs Blutt durchspritzt?
Machst du mit einem tollen Streiche   315
Dich selbst zu einer todten Leiche?
Das Beil daß du auff Carlen wetzt
Wird deiner Ruh' an Hals gesetzt.
Habt ihr wol je nach unsern Wunden
Ihr Kónigs Mórder Ruh gefunden?   320

I. Abgesang.

HErr der du Fůrsten selbst an deine stat gesetzet
Wie lange sihst du zu?
Wird nicht durch unsern Fall dein heilig Recht verletzet?
Wie lange schlummerst du?

---

307 *Hellen:* Hölle.

II. Chor.

Wahr ists! ein Fůrst der frevelt dir /
Vnd du hast Mittel da und hir /
Dein Recht / das ewig Recht muß zihren /
Durch Menschen Vnrecht außzufůhren.
Wird aber das verkehrte Reich /
Erquickt durch seines Kōnigs Leich?
Vnd steht es frey den Mord zu wagen
Vnd die Gesalbten außzutagen?

II. Gegen Chor.

Zu tagen vor ein blindes Recht!
Da über Herren spricht ein Knecht!
Da was der Vnterthan verbrochen /
Wird durch des Fůrsten Mord gerochen.
Des Fůrsten / dessen hōchste Schuld
Kein ander / als zu vil Geduld!
Wird diß mit Wolthun noch beschōnet?
Heist daß nicht Recht und Gott verhōnet!

[352]   II. Abgesang.

Meer / Himmel / Lufft und Erd' hat sich auff dich
                                              verschworen /
Verblendet Brittenland!
Die Straffen brechen ein! du hast dein Haubt verloren
Vnd taumelst in den Sand!

III. Chor.

Ach! Insel rauher denn dein Meer!*
Die jederzeit der Mōrder Heer
Auff deine Printzen außgeschicket /
Die du Meyneydig hast verstricket.
Wer fil nicht hir nach herbem Hohn
Durch Schwerdt / durch Pfeil / durch Gifft vom Thron.

---

332 *außzutagen:* vor Gericht zu laden.
336 *gerochen:* gerächt.

Nur diß ist new: mit tollen Hånden
Der heil'gen Themis Richt-Axt schånden.

III. Gegen Chor.

Auff neue Laster zeucht auch ein
Der unerhörten Straffen Pein!
Krig / Erdfall / Seuchen / faule Lüffte   355
Gehn noch nicht gleiche deinem Giffte.
Was eines jeden der gekrönt /
Vnd durch dich hinfil / Mord außsöhnt;
Wird wider dich zu Felde zihen.
Wer kan des Höchsten Faust entflihen?   360

III. Abgesang.

Weicht Geister! Britten ist kein Ort vor stille Seelen!
Entweicht dem Traurgericht!
Entziht dem Mord-Tumult / der ungeheuren Hölen /
Eur weinend Angesicht.

[353]   Die Ander Abhandelung.

Der Geist Straffords. Der Geist Lauds.

Die gantz entstimm'te Harff' und das erhitzte Brüllen /*
Der Leuen Mordgeschrey die Ohr und Hertzen füllen /
Die Lilje sonder Glantz / die unter grimmen Fuß
Des Pövels sich zu Kott / zutretten lassen muß;
Rufft Wentworts Geist hervor! Ertzrichter aller Sachen!   5
Sinckt Albion nun gantz dem Abgrund in den Rachen?
Muß mein Jerne dann in lichten Flammen stehn?*
Heist du Britannien in eignem Blutt vergehn?
Das enge Reich ist ja dem scheußlichen Gedrånge /
Dem Bürgerlichen Krig und Mordtumult zu enge /   10

352 *Themis:* griechische Göttin der Gerechtigkeit.

Der Themse Purpur-schaum besprützt das wüste Land
Auff dem Altar und Herd durch eine Glutt entbrant.
Der Drummeln Widergalm / die hellen Sturm-Trompeten
Das Wütten das Gekreusch / und unversetzte Tödten /
Der Leichen faule Stanck / erfüllt ja Lufft und See /
Vnd dringt aus diser Grufft in die besternte Höh'
Durch eine dicke Wolck aus Qualm der Grüfft' entsprossen /
Ich hab! Ach HErr ich hab! als ich die Zeit beschlossen
Mich auff dem Traurgerüst / dem rauen Mord-Altar
Noch unter disem Beil geopffert für die Schar
Des auff mein müdes Haubt aus Rach erhitzten Pövels /
Nicht indenck tollen Neids / und blindgesteifften Frevels.
Ich sanck durch dich gestärckt / unzaghafft auff die Knie /
Dein letztes auff der Welt / war meines: ich verzih'.
Mein Geist erhitzter GOtt brennt noch von keiner Rache /
Mehr bitt ich / kehre nicht dein Aug auff meine Sache.
Muß mein vertroffen Blutt ja zum Gericht auffstehn;
So laß den Außspruch nicht auff imands Hals ergehn.
L a u d. Wer bricht die schwartze Ruh der ungeheuren Stille:
Vnd winselt durch die Nacht?
Wird imand mehr als ich / durch ernster Rache wille
Aus seiner Gruben bracht?
[354] Wie? oder schaw' ich dich. O Wentwort! Blum der
                                                    Helden /
Mit dessen Blutt das Recht beschriben /
Daß die gewündschte Ruh aus Albion vertriben?
Dein Kläger muste selbst von deiner Vnschuld melden /
Als das bewegte Volck nach deinem Leben rang /
Vnd dem gekrönten Haubt dein Haubt abdrang.
Von wem doch hatt ich Schutz und Heil zu hoffen?
Als bey noch festem Thron der Donner dich getroffen!

---

13 *Widergalm:* Widerhall.
14 *unversetzt:* unausgesetzt, ununterbrochen.
22 *blindgesteifft:* blind trotzend.
33 *Wentwort:* Lord Strafford; seine Hinrichtung war 1641 vom soge-
    nannten Langen Parlament erzwungen worden.

S t r a f f o r d. Wer sich auff Zepter stützt und traut der
                               Fürsten Schweren;
Fält / leider! gleich als ich. Das Rasende verkehren
Der ungewissen Zeit / gibt jenem Cron und Stab /
Vnd dem ein bluttig Beil / und ein beschimpfftes Grab!
Doch klag ich werther Printz nicht über deine Treue   45
Du libtest biß ans End' / und trugest keine Scheue
Zu reden vor mein Heil. Was hast du nicht versucht
Zu retten disen Kopff? und gleichwol sonder Frucht.
Wie lang hat deine Faust das Mord-Papir verschoben?
Dich hatt die freche Rott / dich hat das tolle Toben*   50
Vnd leichter Buben Schaum an Ehr und Macht verletzt /
Eh' als an meinen Hals das Richtbeil ward gesetzt.
L a u d. Es blickt nunmehr denn wol was man bißher
                               gesuchet /
Die Cron und Infell sind durch einen Mund verfluchet:
Wer ist der wider uns sich je verschworen hat?   55
Als der der Hirten Stab und Zepter selbst zutrat?
S t r a f f o r d. Mein Vrtheil / daß die Welt / ich weiß nicht
                               wie gefället /
Wird Gott noch übersehn / dem sey es heimgestellet /
Ich rühr es weiter nicht. Eins aber klag ich an /
Was mein entleibter Geist auch nicht verschmertzen kan: 60
So bald der falsche Neid auff einen sich erhitzet /
Dem Glück und Sonne lacht / bald wird der Pfeil gespitzet
Der ihm das Hertz abdrückt: es geht dem Pövel ein.
Er muß ein Ketzer schlecht / wo nicht Verräther seyn.
L a u d. Vnd öffter diß und das. S t r a f f. Diß streut man
                               durch die Hütten /   65
Man lehrt die Cantzel selbst auff unbefleckte wütten /

---

42 *das Rasende verkehren:* das rasende Verkehren.
45 *werther Printz:* König Karl I.
51 *Schaum:* Abschaum.
54 *Infell:* Inful, Bischofshut.
56 *Hirten Stab:* Bischofsstab.
64 *schlecht:* schlechthin, durchaus.
65 *Hütten:* Gotteshäuser, Kirchen.

[355] Man munckelt in dem Raht / bey voller Gasterey
Bricht man was hårter aus. Denn wird die Zunge frey
Die vorhin eine Scham / und noch ein schwach Gewissen
Vermischt mit etwas Furcht kont in die Lippen schlissen.
Bald rufft man überlaut: Greifft den Verråhter an!*
Wie schåndlich daß den Stat den Ketzer leiden kan!
Wach auff / was redlich ist! So bald die Schläge blitzen
Muß er / trotz den es krånckt / Blut auff dem Richt-Platz
                                              schwitzen /
Man fragt nach keinem Grund / was er betheuren kan
Gilt nichts! es geht nur Reich und Gottes Zepter an.
Das allzeit-blinde Volck sucht GOtt und Printz zu råchen /
Vnd dem der nichts verbrach den schwachen Hals zu
                                              brechen.
Vnd meint es habe Recht und Sache wol beschickt;
Wenn es die heisse Brunst in keuschem Blut erquickt.
Wenn es die vor sein Heil bey Tag und Nacht gewachet:
Hat auff dem Mordgerůst / in Todes-Angst verlachet.
Wenn es muttwillig sich durch seiner Våter Tod
Gestůrtzt in frembde Dinst und ungeheure Noth.
L a u d. Mehr denn zu wahrer Spruch / durch unsern Fall
                                              bewehret!
Der Donner ists / der mich und dich in nichts verkehret.
Was legte man nicht auff die grauen Har /
Als man der Auffsicht überdrůssig war?
Man hat durch meine Schmach / durch meiner Kercker
                                              Ketten /
Der Kirchen Recht verletzt und in den Staub getretten.
Wer Frembd / wer Bůrger war frolockt ob meiner Pein /
Damit er konte selbst Haubt / Hirt und Bischoff seyn.*
Wie aber ists / wie aber ists gelungen?
Das scharffe Beil hat durch den Hals gedrungen;
Vnd man setzt an unser Stat / Aeltesten der Kirchen vor /
Die man gehőrt mit taubem Ohr.

68 *Denn:* dann.
77 *GOtt und Printz zu råchen:* sich an . . . zu rächen.

Die man verdrang / nun lehrt und lernt ein jder
Vnd dichtet neue Schwårm' und baut und bricht es wider /
Die Herde geht zustreu't und irr't in hôchster Noth;
Wie wenn der Wolff einreist / und Hirt und Wåchter tod.   100
[356] S t r a f f. Doch must' auch unser Tod zu schnôden
                              Lock-Aas dinen.*
Wår' auch der Schotten Heer in Engelland erschinen /
Wann was man in geheim auff Cron und Kônig schloß
Nicht durch mein Blut besterckt? als diß den Hals ausfloß
War Calidon das Schwerdt zu zucken recht verbunden.   105
Nachdem es abermals in Nord sich eingefunden
Wohin man Bischoff sie durch deine Bande riff;
Geschah es daß man dir nach Kopff und Gurgel griff.
Da must ein Geistlich Haubt die Schottsche Dinst bezahlen /
So tranck man / wehrter Laud / als in gekrônten Schalen   110
Dein Blut der Schottschen Kirch fûr ein' Hertzstårckung
                              zu /
So blib das Kirchen-Gut in frembder Faust mit Ruh /*
L a u d. Wie wird mir! Ach! welch Elend ist vorhanden?
Die Majeståt traur't selbst in Banden.
Man richtet Schauplåtz auff zu einem Jammer-Spil /   115
Vor dem die grosse Welt erbeben wil?
Ich schau' in Engelland nur wilde Thire wohnen /
Der mit der Infel schertzt / wird nicht der Crone schonen
Des Fûrsten heilig Blut treufft auff den Greuel Sand
Vnd sein gesalbtes Haubt ist in des Henckers Hand.   120
Weh Albion! Weh! Weh! muß denn mein Geist sich wittern
Vnd dein Mord-Prophete seyn?
Weh Albion! Weh! Weh! schau wie die Felsen zittern /
Die wilde See bricht ein /
Vnd fûhrt die Straffe mit / ich schaue Schwefel Regen   125
Vnd Flûsse Leichen voll / und brûderliche Degen
In brûderlicher Wund' und ein verwûstet Land
Vnd umbgekehrte Stådt' und nichts als Grauß und Sand.

---

121 *sich wittern:* sich zeigen, regen.

S t r a f f o r d. Der Himmel müsse dich betrübter Printz
                                        erquicken
Der Himmel müsse dir gewündschten Beystand schicken.
Es werde deine Seel mit so vil Gnad' ergetzt /
Als hart mein herber Fall dein treues Hertz verletzt.
L a u d. Weh Albion! Weh Engelland! Weh! Weh!
Die Straffe wacht / sie brennt auff kalter See!
O seelig wer die Tage nicht erreicht!
O seelig wer vor disem Sturm erbleicht!
[357] O besser durch ein Beil den kurtzen Rest beschlossen!
O besser vor der Angst die Handvoll Bluts vergossen!
Die Straffe selbst steigt von des Himmels Höh
Weh Albion! O Engelland Weh! Weh!
S t r a f f o r t. Hilff Gott ists nicht genung an den so
                                        schweren Schlägen!
Sol man denn Schuld mit Schuld / und Blut mit Blut
                                        abfegen!
L a u d. Schaut wie in Eil das Traurspill sich verkehr!
Der Feldherr selbst begibt sich der verführten Heer.
Der nechst nach ihm prallt auff des Königs Throne /
Vnd läst die Erbschafft dem nicht gleich gesinnten Sohne /
Die Erbschafft die umbsonst mit Mord mit List und
                                        Schwerdt
Versichert / weil der Fürst die Zeit in Ach verzehrt.
Indem erscheint die Rach' und trennt was sich verbunden.
Das Ansehn mit der Macht des Land-Zwangs ist
                                        verschwunden.
Sie bricht den falschen Stul und angemasten Stab
Der Wütterich verleurt sein ausgezihrtes Grab.*
Da henckt sein richend Aaß. Ach König! ach! hir brennen
Die Hertzen die dich itzt aus Rasen nicht erkennen.
Schau Wentwortt! wie das Beil in diser Leiber wütt /

144 *Der Feldherr:* Fairfax.
      begibt sich: gibt auf, verläßt.
145 *Der nechst nach ihm:* Oliver Cromwell.
150 *Land-Zwang:* Tyrannei.

Die wider Länder Recht und wider Völcker Sitt /
Geschlossen Carols Tod. Man schleifft zu letzten
                                    Schmertzen /
Was sich vor unterstund mit unserm Blut zu schertzen.
Vnd Stuards Nachsaß blüht. S t r a f f o r t. Herr wer
                                    erkennet nicht
Wie recht dein Vrtheil sey! wie heilig dein Gericht?   160

Geist Mariae Stuardae, Carolus auff dem Bette.

Das immer frische Blut das aus den Adern rinnet /*
Vnd Brůst und Leinwand färbt / das Quell das stets
                                    beginnet /
Vnd keinmal sich verstopfft / träufft milder auff das Land /
Des rasenden Gebrůts / daß die entweihte Hand /
Gewohnt in Fůrsten Blutt ohn unterlaß zu baden   165
Vnd Königs Leich auff Leich' und Mord auff Mord zu
                                    laden.
[358] Das Richt-Beil das man hir uns an den Nacken setzt /
Wird noch auff Stuards Stamm durch eine Schar gewetzt.
So / wie Maria fil / wird unser Sohns Sohn leiden.
Der Greuel sol anitzt vil tausend Augen weiden   170
Den Foudringen verbarg. Sein Londen wil es sehn*
Das keinen Meyneyd acht / das Gotts Gesalbten schmehn
Vnd Printzen schimpffen kan! das ungezeumte Buben
Läst richten über die / die Fůrst und Volck erhuben.
Das aller Zeiten Schuld / durch härter Sünd erneut   175
Vnd sich ob disem Werck' als einem Lust-Spil freut.
Verfluchtes Stück! man siht die unerzognen Hauffen
Wie rasend tolle Zucht der jungen Hunde lauffen.
Hir rufft was nichts versteht und nichts verstehen kan /
Aus Mord-begir'gen Halß' uns geht kein König an.   180

157 *schleifft:* zergliedert, zerstückelt.
159 *Nachsaß:* Nachkommenschaft.
164 *Gebrůt:* Brut.
    daß: das (Relativpron.).

Was Herr! was Meister soll mit Geisseln bendig machen;
Pocht Britten euren Rath. Wer seine krumme Sachen
Befôrdert wissen wil / setzt mit dem Nachdruck an /
Vnd zwingt die Zepter selbst. Wo jemand hôren kan /
Wo jemand mit Vernunfft / diß Stück wil überlegen:
Der denck ihm etwas nach! Kan Recht ein Vrtheil hegen
Wenn thôrichte Gewalt den Richterstul besetzt.
Wenn sich ein wüttend Aug' ob diser Flutt ergetzt
Die alle Welt erschreckt. Die nimand aus lâst reissen
Der Kirch und Herd nicht selbst mutwillig umb wil
                                                  schmeissen.
Nein! wenn wir disen Sturm in Engelland erregt /
Vnd die gestârckte Well' / itzt Mast und Seil bewegt;
Muß man die wilden See / mit Fürsten Blut versôhnen /
Vnd den zuspritzten Schaum mit Purpur-Flüssen krônen.
Was ists den Britten mehr umb eines Kônigs Haubt?
Es ist der Insell Art! Vmb daß ihr Edward glaubt*
Gab er sein Leben hin. Wilhelm der rott errôttet*
Vnd zappelt in dem Blut. Ihr Richard ward getôdtet*
Durch den geschwinden Pfeil. Johann verging durch Gifft /*
Das ihm das Kloster mischt. Was hat man nicht gestifft
Auffs zweyten Edwards Kopff? der sich des Reichs
                                                  begeben /*
Vnd dennoch nicht erhilt das jammervolle Leben /
[359] Wie Richard auch der zweyt' in Hunger untergieng /*
Vnd Henrich Franckreichs Herr den der Verrâther fing*
Vnd in dem Thurm erwürgt / der Vetter Richard wetzte
Die Kling auff Edwards Hertz / und als er kaum sich
                                                  setzte*
Auff des entleibten Thron / erblast er in der Schlacht.
Des Achten Henrichs Sohn ward plôtzlich weggemacht*
Durch unentdeckte Gifft. Wo ist Johanna bliben?*
Wie offt war dise schon dem Richt-Beil zugeschriben.*

---

182 *pochen* (trans.): Trotz bieten, Widerstand leisten.
    Rath: Gerichtshof, möglicherweise der unbeliebte Court of Star
    Chamber.

Die endlich wider uns den harten Schluß aussprach.
Vnd wider Recht den Stab auff Cron und gleiche brach?
 Verfluchter Tag! als wir von Königen gebohren /*
Die Könige gezeugt / von Königen erkohren /
Die Gallien beherrscht / der Schott-Land eigen war   215
Die Erbin Albions vor frembder Mörder Schar
Erschinen als verklagt: als Knechte sich vermessen
Als Knechte wider uns den Richter-Stul besessen
Vnd die / die keine Macht kennt über sich / als GOtt
Der Printzen setzt und richt / verwisen zu dem Tod.   220
 Doch wird diß nahe Licht vil herber Greuel schauen.
Dort liff man umb der Hals der abgekränckten Frauen
Hir wird der Erb-Fürst selbst den Schott und Irr gekrönt
Dem Britten sich verschwor von eignem Volck verhönt
Man spitzt auffs Königs Brust nicht ein verborgen Eisen /*   225
Man mischt nicht frembde Gifft in unbekante Speisen /
Man legt nicht Zunder ein zu unterirrd'scher Glut /
Man schickt kein untreu Schiff auff die erzürnte Flut /
Auch gehn ihm nicht durchs Hertz vil unversehne
                                        Schwerdter /
Man bringt ihn heimlich nicht weg an verdächtig' Oerter /   230
Sie rasen mit Vernunfft / sie setzen Richter ein
Es muß ihr Doppelmord durch Recht beschönet seyn.
Der / der dem Printzen schwur / spricht wider Carols Leben /
Den Carol vor erhub / hilfft ihn vom Thron abheben.
Wo ihn der Vnterthan mit Schuldikeit empfing   235
Setzt man daß Richt-Klotz auff / und schleust den
                                        Trauer-Ring
Mit König Carols Volck. Er / der sein Leben waget
Für sein verdrucktes Reich / wird von dem Reich vertaget /

---

212 *gleiche:* Ebenbürtige, Peers.
227 *zu unterirrd'scher Glut:* Bezieht sich auf die Pulververschwörung
vom 5. November 1605, den Versuch katholischer Edelleute (u. a.
Guy Fawkes'), das englische Parlament in die Luft zu sprengen.
232 *Doppelmord:* Karl war König von Großbritannien und Irland.
238 *verdrucktes:* zerdrücktes.
 vertaget: vor Gericht geladen.

[360] Für eines Henckers Fuß / und legt auff einen Streich*
Für aller Augen hin sein itzt enthalste Leich.
Doch! zage nicht mein Blut! der runde Kreiß der Erden
Wird über deiner Angst bestürtzt und schamrot werden /
Es wird wo Titan weicht / wo Helice vergeht
Wo das entfärbte Licht der Morgenröt auffsteht /
Vnd wo die Welt sich selbst in ewig Eiß verkehret
Noch seyn der sich voll Weh' ob deinem Ach beschweret.
Europe selbst zureist ihr Thränen-nasses Kleid
In dem was sterblich ist / dein letztes Grabe-Leid
Mit heissen Zehren ehrt / nur du bleib unbeweget
Vnd dencke daß hir nichts als Creutz werd' abgeleget
Wenn man den Leib auszeucht. Das gantze Land ist voll /
Voll Volck / das bald dein Blut mit Blut aussöhnen soll.

Carol, auff dem Bette. Der Bischoff von Londen. Die Edelleute.

Halt / halt betrübter Geist! wohin so bald verschwunden?
Wie? oder gibt ein Traum uns neue Seelen-Wunden?
Maria! schwermt dein Schiem mitleidend umb uns Her?
Wird uns die rauhe Last der nahen Pein so schwer!
Nein! Carl ist noch behertzt die Jahre zu beschlissen /
Vnd sein nicht schuldig Blut vor Abends zu vergissen.
Brich an gewündschtes Licht / wir sind des Lebens sat /
Vnd schaun den König an / der selbst ein Creutz betrat
Verhast von seinem Volck / verlacht von seinen Scharen
Verkennt von Ländern die auff ihn vertröstet waren /
Den Freund / wie uns verkaufft / den Feind / wie uns
                                                verklagt /*
Vnd kränckt umb Frembde Schuld / und biß zum Tode
                                                plagt.

239/240 *Für:* vor.
243 *Titan:* Helios, der griechische Sonnengott.
   Helice: das Sternbild des Großen Bären.
255 *Schiem:* Schemen, Schatten.

J u x t. Der Höchste / wehrter Fürst / wol Ihn den Tag
anblicken / 265
C a r o l. Wir glåuben daß Er werd' uns / seinen Knecht
erquicken.
J u x t. Drückt ihre Majeståt noch ein verborgen Leid?
C a r o l. Wir finden uns getrost / und zu der Noth
bereit /
[361] J u x t. Hat sie der kurtzen Nacht genossen sonder
Sorgen?
C a r o l. Wir haben was geruht / doch wündschend nach
dem Morgen. 270
Die Zeit fållt zimlich eng. J u x t. Es ist mein Fürst noch
früh'.
C a r o l. Vns nicht / die wir beschwert mit überhåufter
Müh'.
J u x t. Gott wendet Müh in Lust / und hilfft offt sonder
Mittel.
C a r o l. Er helffe wie Er wil! reicht uns den Sterbe-Kittel.
O letztes Ehren-Kleid / das Carl mit aus der Welt 275
Von so vil Schåtzen nimmt / mit dem die Pracht verfålt
Die uns vor disem zirt. Der Purpur muß verderben.
Doch wird der Adern Brunn die reine Leinwand fårben.
Auff der wird wenn wir hin mit Blut geschriben stehn /
Wie Albion gewöhnt mit Fürsten umbzugehn. 280
So weiß wir angethan vom Låger uns erheben /
So sauber wird der Geist vor Gottes Richt-Stul schweben /
Vnd zeugen wider die / die mit geschmincktem Schein
Auff ihres Königs Hals selbst Part und Richter seyn.
J u x t. Der Printz vergeb' und laß es GOttes Recht
ausführen. 285
C a r o l. Wir haben långst verzihn diweil wir nichts
verlihren.
Cron / Leben / Stand und Reich / und was der Tag hinreist
Schenckt uns die Ewikeit die uns den Zepter weist /

---

265 *den Tag:* diesen Tag, heute.
284 *Part:* Partei.

Den keine Noth zubricht. Komt Edlen / helfft uns kleiden:
Diß ist der letzte Dinst / es geht nunmehr ans scheiden!
J u x t. Was scheidet nicht die Welt? Was ist das immer steh'
Vnd nicht offt unverhofft / in einem Nun vergeh /
Nicht eine Stund ist dein / die Jahre die verflossen
Sind starcken Strômen gleich / die nimand hemmt /
                       verschossen.
Die wir mit erstem Licht in treuer Huld gekûst
Sind nun mehr Staub und Geist; die Zeit / die Marmor
                       frist /
Vnd Ertz in nichts verkehrt / bestreicht die schônen Wangen
Mit kaltem bleiche seyn / und eh' es halb vergangen
Was man zu leben hat / bedeckt der graue Schnee
Die vorhin gelben Haar / man stûrtzt' als von der Hôh'
In die vertiffte Klufft / man siht nicht was man sihet
In dem so jehen Fall / wie man sich trâumend mûhet
[362] Vmb ein / ich weiß nicht was / und wenn der Schlaff
                       verschwind /
Kaum ein Gedâchtnûß mehr des Schatten-Bildes findt;
So spillt was irrdisch ist durch die bestûrtzten Sinnen
Vnd ândert Lust in Leid. Die Freunde selbst zurinnen
Vnd schilen seitenwerts uns über Achsel an.
C a r o l. Vnd treten in den Staub / den vorhin jderman
Mit tiffem Antlitz ehrt. Der uns verpflicht zu schûtzen
Stôst dises Hertz entzwey / die glantze Schwerdter-Spitzen
Mit den fûr Carols Heil die grosse Schar bewehrt
Sind (Ach verkehrtes Glûck!) auff Carols Brust gekehrt!
J u x t o n. Mit kurtzem! was ein Mensch kan in Gedancken
                       fassen /
Wie hoch! wie weis' er sey: lâst oder wird verlassen.
C a r o l. Gebt Wasser / weil das Land in unserm Blut sich
                       wâscht.
Weil unser Sonnen Licht in Thrânen gantz verlescht.

298 *bleiche seyn:* Blässe.
310 *glantze:* glänzenden.
311 *den:* denen.

Betrübte Königin! die weit von disen Schmertzen
Doch unsre Wunden fühlt. Wie nah' ist deinem Hertzen
Der ferne Donner-schlag der dich unwissend rührt /
Vnd durch des Libsten Sarg in deine Grube führt.   320
O Seele meiner Seel! wie kläglich wirst du zagen
Vnd auff die weisse Brust die zarten Hände schlagen!
Der weiß auff dessen Treu ein sterbend König steht
Daß unser Jammer-Spil uns nichts zu Hertzen geht
Für deiner Todes-Angst. Wem läst dich Carl / betrübte!   325
O Seele meiner Seel! O Ewig-trew-gelibte!
O! J u x t o n. Wer wäscht Engelland von seiner Blutschuld
                                                      rein?
Dazu wird Tamesis und See zu wenig seyn.
C a r o l. Wo sind die Ritter hin / die durch diß Band
                                                      verbunden
Doch mehr durch theuren Eyd uns an der Seiten stunden?   330
Wer zuckt nun für sein Haubt die anvertraute Wehr?
Ihr König laufft gefahr. Wir schwimmen auff dem Meer
Auff dem zustuckten Schiff' nur einsam und verlassen.
Das Ruder ist entzwey! die frechen Winde fassen
Die halben Segel an. Die Seite weicht der Last   335
Vnd gibt den Wellen nach / die Splitter von dem Mast
Zuschmettern Bord und Gang. Die Ancker sind gesuncken /
Die Kabell gantz zuschleifft. Die hell-entbrandte Funcken
[363] Des Saltzes stiben schir / wo vor die Flacke stund;
Compas und Glas ist weg / wir stürtzen auff den Grund   340
Vnd schissen in die Höh' und scheittern an die Steine
Ist jemand der es noch mit Carlen treulich meine?
Vnd nicht mit ihm vergeh! der ist umbsonst bemüht

317 *Betrübte Königin:* Die englische Königin war z. Z. der Hinrichtung
     Karls in Frankreich.
323 *Der:* Gott.
325 *Für:* vor, im Vergleich zu.
328 *Tamesis:* die Themse.
329 *diß Band:* das Abzeichen des englischen Hosenbandordens.
337 *Bord und Gang:* Gangbord, das Deck des Schiffes.
339 *Flacke:* Flagge.

Der in dem fernen Port auff unsern Schiffbruch siht
Vnd nichts als Thrånen gibt. Es steht in deinen Hånden
Printz aller Printzen Fůrst: Ach! hilff uns selig lånden!
Sol mein zubrochen Schiff der Wellen Opffer seyn /
So rett' und fůhre nur die Seel ins Leben ein.

Carolus. Juxton. Die Printzeß | der Hertzog von Glocester.
Die Edelen und Stat-Jungfrauen.

O libste Schmertzen Gåst! H e r t z. Ach! C a r l. Ach!
                                    verweiste Kinder!
H e r t z. Ach! C a r l. Hertzog sonder Land! H e r t z.
                      Ach! J u x t. Printz nichts desto minder.
C a r l. Princessin sonder Sitz. Statt Jungfern sonder Statt.
J u x. Vnd dennoch in der Welt! C a r l. Ach! P r i n c e s.
                              Ach! C a r l. Der Donner
So hart nicht wider uns als ůber euch gewůttet.
Die Schwefellichte Glutt die auff uns ausgeschůttet
Trifft leider mehr auff euch. P r i n c e s. Ach! Ach! C a r l.
                              Ach wehrter Sohn /
Ach! vorhin hôchste Lust als die geraubte Cron
Noch auff den Haren stund / kennst du mich nicht mein
                              Leben?*
H e r t z. Nein Herr! K ô n i g. Ich bins den Gott zum Vater
                              dir gegeben.
Hat Kummer mich so sehr mein libstes Kind verstellt?
Mein Kummer ists daß dich mein Vnglůck ůberfållt.
Ach! daß du nie verdint! O Seelen sůsse Sonne!
O hôchstgewůndschte Freud! O vorhin grôste Wonne!
[364] Nun Hertzenherber Schmertz! der Mutter letztes
                              Pfandt
Das sie uns ůberliß als schon die Glut entbrandt
Darin die Cron verschmeltzt! O liblichstes Gesichte!
Der Mutter wahres Bild / sie glåntzt in solchem Lichte
Als sie die zarte Blum / in Auffgang ihrer Jahr'

361 *daß:* das (Relativpron.).

In Albion versetzt! auff unser Todten Bar
Verblůht nun Sie und Ihr! das Hertz wil uns zubrechen /
Vnd treufft von mildem Blut! was kan die Zunge sprechen   370
Die ůber euch verstumm't? man greifft uns hårter an /
Als ein verbittert Haß auff Printzen rasen kan!
Man raubt nicht Stand und Stab / Ach! die sinds die uns
                                                    krånchen!
Wir lassen nur zu vil.   J u x t o n.   Was GOtt gelibt zu
                                                    schencken.
C a r l. Wem aber lassen wir betrůbte Tochter dich?   375
Wer nimmt sich deiner an? wird deine Mutter sich
Nach disem Donnerschlag auch wissen auffzurichten
Vnd dich an unser stat versorgen? Ach! mit nichten /
Sie stirbet! sie vergeht! und da sie leben kan;
Wer beut ihr selbst die Faust? wer spricht sie tröstlich an?   380
Vnd steht ihr hůlffreich bey? O Printz zu Leid gebohren!
O Kind das nicht versteht wie vil es schon verlohren!
Vnd itzt verliren muß! So wenig deine Zeit
Ihr Elend ůberlegt! je mehr wåchst unser Leid!
Was gibt dein Kőnig dir O Printz den Stand zu fůhren   385
Womit sucht libstes Kind dein Vater dich zu zihren?
Princesse! was erlangst du fůr ein Heyrath Gut?
Der Vater hat nicht mehr als eine Handvoll Blut
Die itzt vertriffen sol.   P r i n c e s.   Er låst uns seine
                                                    Leichen
Zum Pfande letzter Gunst! Er låst die libe Zeichen /   390
Die Thrånen zum Geschenck. Er låst was Feindes Hand
Vnd Neid nicht rauben mag / den angebornen Stand.
C a r o l. Der Stand ist eine Bůrd unmöglich zu ertragen
Wofern der Fůrsten Fůrst nicht selbst wil Faust anschlagen.
Der Stand wird / fůrchten wir / euch mehr denn tődlich
                                                    seyn /   395
Indem die tolle Schar bricht Thron und Orden ein:

373 *die:* Karls Kinder.
383 *Zeit:* Alter.
394 *Faust anschlagen:* Hand anlegen, helfen.

[365] Man haut den Stam entzwey / wird man der Aeste
                                                schonen?
O besser kôntet ihr in Pamanuke wohnen*
Als in dem Mord-Pallast: Diß Land darinn ihr sitzt
Ist gantz mit Fûrsten Blut durch alle Zeit besprützt /
Ach Kinder! die ihr euch zu Franck und Kat begeben /
Euch gab der wilde Schaum der strengen See das Leben
Das uns die Insel nimmt. Wofern man nach dem Schlag
Der nach dem Nacken zilt / euch lebend nennen mag?
Ihr seyd / wir stehn es zu / uns aus den Augen kommen
Der Strom hat dennoch euch nicht aus der Brust genommen /
Eur Kônig gibt euch nicht wie disen gute Nacht /
Doch unser Vater Hertz / das auch schon sterbend wacht /
Kûst euch durch dise zwey die er nicht mehr wird kûssen!
Doch sol der blasse Geist in sanfftem Traum euch grüssen
Vnd trôsten durch die Nacht: wo dencken wir doch hin?
Wir haben dise zwey / die beyde zu Gewin.
Doch was Gewinn ist diß daß wir in thrânen schwimmen?
Daß uns die Geister gantz eh' als wir Tod verglimmen?
Auff! wischt die Zehren ab / der Cronen gibt und nimmt
Hat jedem seine Maß / sein Jammermaß bestimmt!
Er weiß allein warumb / und hâlt den Grund verborgen
Biß ihn das End' entschleust / der wird fûr alle sorgen
Vnd heilen was er schlâgt. Vns dünckt wir schauen schon
Den hochbegehrten Carl auff Kônig Carels Thron /
Die Schotten gantz bethrânt / gantz Albion in Reue
Den wûsten Irr bestûrtzt / man rûhmt des Kônigs Treue
Indem sein Côrper fault. Des Fûrsten Vnschuld blûht
Aus seiner Todten-Grufft / weil sich die Welt bemüht
Zu retten seine Cron. P r i n c e s. Ach! ist diß unser
                                                scheiden?
Ach Kônig! schau ich Ihn! schau ich Ihn Vater leiden!

___

401 *Kat:* Katten (Chatti), germanischer Stamm, von Gryphius im Sinne
     von Holland bzw. Holländern verwandt (Theorie Powells).
418 *entschleust:* aufschließt, zu erkennen gibt.
420 *Carl:* der spätere Karl II.

C a r o l. Du schawst mein Kind wie Ich diß lange Leiden
schliß;
Indem Ich Freudenvoll vors Recht mein Blut vergiß.
Du schawst was Gott verhengt / doch mir zu sondern besten
(Wie schwer es immer scheint) der wolle dich befesten   430
Daß dich kein rauher Sturm kein Anfall von ihm reiß.
Der Erden Pracht ist Dunst. Tritt auff kein schlipffrig Eiß.
[366] Vor allen scheu dich dein Gewissen zu beflecken.
Wenn Gott an jenem Tag uns frölich auff wird wecken;
Sol dise Beylag uns ein Kennezeichen seyn   435
Im Anblick aller Welt wer Gottes und wer mein.
Du hast des Höchsten Buch. Liß was er vorgeschriben.
Laß leichter Federn Gifft dir nimmermehr beliben /
Ein nicht zu sauber Blatt steckt reinste Seelen an
Mit Funcken die Vernunfft und Zeit kaum leschen kan.   440
Wofern ein Zweifel dir die Sinnen wil anfassen;*
So liß was Andreson und Witt uns hinterlassen /
Was Hacker auffgesetzt / was Laud uns vorgestelt /
Vnd sterbend unlängst noch bekråfftigt vor der Welt.
Du aber du mein Sohn! Leb indenck diser Wortte;   445
Du hörst den Vater itzt und König an dem Ortte /
Indem er sich nunmehr zu sterben fertig macht
Vor Recht und Grund gesetz. Drumb nim dich selbst in acht
Vnd meide meine Leich so schåndlich zu beschimpffen /
Daß da man meinen Mord gesonnen zu verglimpffen   450
Indem man / weil noch wer von deinen Brüdern lebt /
Dich Ihn zu Nachtheil ehrt und auff den Thron erhebt;
Du dich erkühnen dörffst Ihr Vorderrecht zu brechen
Vnd was mein Blut anitzt bestårcken sol zu schwåchen.
Fleuch / meide dise Schmach / geh solchen Rath nicht ein / 455
So wird der Götter Gott dein stårckster Schutzherr seyn.
H e n r. Mein König mich sol eh ein wildes Roß zureissen:*
Als daß mich eine Zeit solt ungehorsam heissen /

435 *Beylag:* wahrscheinlich auf eine Bibel deutend (Powell).
442/443 *Andreson, Witt, Hacker:* Andrewes, White, Hooker; englische
Geistliche, Autoren theologischer Schriften.

Als daß ich den Befehl aus meiner Seelen setz /
Vnd seines Seegens mich Herr Vater unwerth schåtz /
Es blůh’ auff seinem Stull der zu dem Stull gebohren.
Wer frembde Reich’ einnimt hat durch Gewinn verlohren.
Bleibt Bischoff / bleibt mein Zeug! O wann sein Grab das
                                                mein!
P r i n c. Ach! kônte doch mein Tod erleichtern seine Pein.
H e n r. Herr Vater / ach solt ich mit ihm das Leben
                                                schlissen!
P r i n c. Kônt ich / mein Blut vor ihn mein Fůrst / mein
                                                Herr / vergissen!
[367] H e r t z. Mein Kônig rettet ihn kein Beystand keine
                                                Flucht?
P r i n c. Bringt sein Anheimkunfft Herr / so schmertzen-
                                                reiche Frucht?
C a r o l. Nun Kinder! lernt euch stets vor Gott dem
                                                Hôchsten neigen /
Dem Bruder euer Pflicht Gehorsam zu erzeigen /
Dem Bruder / der (ob schon Ihn Well und Wetter treibt)
Doch diser Lånder Fůrst und euer Kônig bleibt.
Lebt fester durch die Lib’ als gleiches Blut verbunden.
Es werde Brůder Treu und Schwester Hold gefunden
In beyder Hertz und Geist weil etwas in euch lebt.
Noch eins und das zu letzt / Lernt von mir und vergebt.
Betrůbt uns ferner nicht Princess mit mehren Zehren
Der Himmel blick euch an! er wolle dir bescheren
Was er uns nicht vergônnt / Er nehme der sich an
Der er den Vater nimt / die keinem trauen kan
Als dem der ewig treu! Er linder deine Schmertzen /
Princeß nimm unsern Tod so hefftig nicht zu Hertzen /
Vns rufft ein grôsser Reich! Ade gelibter Sohn!
O Jugend die nicht fůhlt wie die zustůckte Cron
Auff Stuards Sprossen knackt! der Printzen Printz erhebe
Durch dich was in uns fållt / er segne dich und gebe

461 *Stull:* Thron.

Was unser Wundsch nicht kan / Er laß ihm unser Blutt
Für euch genehme seyn und rett euch aus der Flutt
Durch die wir überströmt. Geht! liben Kinder gehet!
Weil eur verdamter Fürst und Vater einsam stehet!　　　490
Geht! liben Kinder geht! der Vater steht allein!
Sein Purpur ist entzwey! ihn hůlt ein Traurkleid ein!
Doch schreyt sein weinend Hertz! ob gleich die Lippe
　　　　　　　　　　　schweiget
Zu dem der ewig herrscht und ew'ge Cronen zeiget!
Auch sein vergossen Blut wird mahlen auff den Sand　　495
Das Vnrecht das er lidt. Auff Kinder! streckt die Hand
Mit uns zu beyder Gott! Er wird der Feinde wůtten
Vnd stoltzem tolle seyn / in kurtzem Trotz gebitten /
Diß hofft ein schmachtend Hertz. Ade mit disem Kuß!
Vnd hirmit gutte Nacht! gebt unsern Thränen-Gruß　　500
[368] Wofern es Gott vergônt / dem fernen Paar der Brůder
Der Mutter die halb Todt / und eurer Schwester wider:
Der Mutter die kein Tag mir aus den Sinnen nam /*
Von jener Zeit an da sie in mein' Armen kam.
Der Mutter / die ich nicht werd aus dem Hertzen lassen;　505
Biß mein enthalßtes Haubt wird auff dem Platz erblassen.
Welch Zagen setzt uns zu / wir fühlen nur zu woll
Wie scharff das Eisen sey das uns zutrennen soll.
Nehmt dise Denckmal hin und dise letzte Küsse!*
Fahrt wol biß ich bey GOtt ergetzt in Freud euch grůsse.　510
O! fůhrt die Kinder weg! Ich laß euch Wehmutsvoll
Euch die Ich dort in Lust auff Ewig schauen soll!
Fahrt wol auff kurtze Zeit! sie gehn benetzt mit Zehren
In heisser Seelen Angst. J u x t o n. Doch wird sie GOtt
　　　　　　　　　　　gewehren
Mein Fůrst mit steter Wonn' und was er hie verlåst.　　515
Er bau auff disen Grund! C a r o l. Der Grund ist bey
　　　　　　　　　　　uns fest.
Muß schon ein Vater-Hertz die harten Riß empfinden;

---

498 *tolle seyn:* Rasen.

Doch mûht der Geist sich hoch diß Leid zu ûberwinden /
Vnd schlâgt den Jammer aus. J u x t o n. Chur Pfaltz ist
                                          höchst bemûht /*
Mein Kônig Ihn zu sehn! C a r o l. Den Kônig! der
                                                verblûht!
Danckt Chur Pfaltz vor die Treu. Er wûrd auffs neu
                                             erbittern
Durch seine Gegenwart / die Schmertzen die sich wûttern
Vnd an die Seele gehn: Ihr! sorgt fûr unser Leich!
Vnd zeigt dem Richmond an daß nach verrichten Streich
Wir dise letzte Gunst von ihm und euch begehren:
Er lasse nicht diß Fleisch durch schnelle Fâul auffzehren
Vnd gônn uns noch zu letzt die Handvoll Specerey*
Daß ob wir von der Welt; doch noch auff Erden sey
Was Cron und Thronerb schaw: er mag aus unserm Wesen
Vnd blassem Angesicht sein eigne Pflichtschuld lesen /
Wir sorgen weitter nichts. Diß was uns noch gelibt
Ist was vom Himmel kam und uns den Himmel gibt.

[369]   *Chor der Syrenen.*

I. Chor.

Himmel ist das Zil der Dinge / daß des Hôchsten Hand
                                       gesetzt
Durch das schnelle Rad der Zeiten zu dem letzten Zweck
                                       gerûckt!
Da der weite Bau der Erden durch die strenge Glut
                                       verletzt
Wird in Asch und Nichts verfallen! macht der Richter sich
                                       geschickt
          Die grosse Schuld zu rechen /
          Vnd alles einzubrechen.

---

522 *sich wûttern:* sich regen.
524 *Richmond:* der schottische Gesandte; Richmond war 1623 bis 1672 als
    Herzogstitel im Besitz der schottischen Herzôge von Lennox.

I. Gegen-Chor.

Rasen darumb durch die Wellen / stårcker als die Welle
geht /

Die geschwinden Sturm-erwecker? bricht drumb Ost den
Westen ein?   540

Wil die Klippe darumb spalten / wird die Seichte drumb
erhôht?

Wil die Vorburg Amphitritens auch nicht långer felsern
seyn /

Weil alles über Hauffen
In einem Nun sol lauffen?

I. Abgesang beyder Chore.

Wie? oder stellt des Hôchsten Macht   545
Ein unerhôrtes åndern an?
Hat sich sein Geist auff was bedacht
Das kein Gemütt ersinnen kan?

II. Chor.

Kaum in einem Sonn-umblauffen sind schir alle Thron
entleert.

Cimberns Silber-Haar verståubet / weil der Cron-Erb wird
verschart.   550

Der Sarmater Fürst gesegnet eh die Auffruhr ihn beschwert

Bosphers Blitz / Europens Schrecken / hat den grausen Strang
erhart.

---

541 *Seichte:* seichte Stelle.

542 *Vorburg Amphitritens:* Metapher für die Felsenküste Englands.
Amphitrite: griechische Göttin des Meeres.

550 *Cimberns:* Cimbern, germanischer Stamm, der ursprünglich in Nord-
jütland ansässig war. Hier Anspielung auf Christian IV. von Däne-
mark, der 1648 nach seinem Thronfolger starb.

551 *Der Sarmater Fürst:* Sarmater, Volksstamm zwischen Weichsel und
Wolga, dem Polen des 17. Jahrhunderts. Anspielung auf Wladislaw IV.
von Polen, der u. a. gegen die Türken Krieg führte. Auch er starb
nach seinem Thronerben.

552 *Europens Schrecken:* Der türkische Sultan Ibrahim I. wurde 1648
abgesetzt und hingerichtet. Vgl. Daniel Casper von Lohensteins
(1635–83) Trauerspiel *Ibrahim Sultan* (1673).

Der stirbt / eh' als er stirbet
Der so wie er verdirbet.

[370]   II. Gegen-Chor.

Auf den Iber wetzt man Klingen / und verschwert auf
Portugall.
Auch der Adler siht Verråhter / Franckreich greifft die
Liljen an.
Nun erbebt das Rund der Dinge / über Stuards herbem Fall.
Amphitrit ist gantz bestůrtzet daß die Tems es wagen kan.
Sah man in einem Jahre
So viler Printzen Bare?

II. Abgesang.

Des Himmels Licht entbranter Schlag
Geht auff der Vôlcker Hirten loß
Nun rette wer sich retten mag /
Ihr Schafe fliht. Die Noth ist groß.

Die Dritte Abhandelung.

Fairfax und seine Gemahlin.

F a i r f. Sie trau: Ich werde nicht mein Wort zu růcke
nehmen
Dafern bewuste zwey sich zu der That bequemen;
Soll eh der Abendstern wird aus der See auffstehn /
Der Kônig frey von Angst und Stock und Band entgehn.
G e m a h l. O! wer wird dises Stůck nach Würden preisen
kônnen!
Môcht auch der Himmel uns / mein Licht / was schôners
gônnen

---

556 *Franckreich greifft die Liljen an:* Bezieht sich auf die Aufstände de
Fronde und den Krieg gegen Spanien.
557 *das Rund der Dinge:* die ganze Welt.

Als disen Anschlag mir / Ihm Mutt und Tapferkeit
Den Vorsatz zu vollzihn? F a i r f. Ich eil' / es heischt die
Zeit
Daß man sich nicht zu lang mit Reden hir verweile.
Wo ich die Wach auffs neu / auffs neu die Heer eintheile; 10
So hats nichts ferner noht. Sie steh mit Seuffzen bey
Damit nicht beyder Wundsch und Müh vergebens sey.
Ich scheide mit dem Kuß. G e m. Gott laß es wol gelingen!
Er laß ihn was er wagt mit Nutz und Heil vollbringen!

[371] *Hugo Peter. Franz Hacker. Wilhelm Hewlet.*

P e t e r. Vil Glücks. H a c k. Ich sag Ihm Danck. Wie
schau ich Ihn so früh? 15
P e t e r. Was macht der grosse Mann uns nicht für Sorg
und Müh?*
H a c k. Waar ists! doch nunmehr wil sein letzter Tag
erscheinen.
P e t. Drumb ist noch mehr zu thun als jmand darff
vermeinen.
H a c k. In Warheit / wie ich seh' / es stöst sich hir und dar
P e t e r. Fast jder / spür ich / läst ihm traumen von Gefahr. 20
H a c k. Ein Bub' ein Hencker dorfft uns seinen Dinst
versagen.*
P e t e r. Doch fand man Rath den Kopff dem Blutthund
abzuschlagen.
H a c k. Wie schwer gings zu eh man die Vollmacht
unterschrib.
P e t e r. Drumb kam es gutt daß man das Werck mit Macht
durchtrib.
H a c k. Ja was auch Axtel that Hunck selbst dorfft uns
entfallen.* 25
P e t e r. Hunck? läst er Sinn und Witz so fern / so blöd
umbwallen?
H a c k. Wo ihn nicht Axtel bringt zurück auff rechte Bahn.

21 *dorfft:* dürfte.

P e t e r. Gutt ists daß man so vil einlud in disen Kahn.

H a c k. Es würde / wann es nicht so wol bestelt / sehr
                                        wancken.

P e t e r. Der Feldherr macht mir selbst nicht wenige
                                        Gedancken.

H a c k. Nein / ich versichre dich / der Feldherr låst uns
                                        nicht.

P e t e r. Vnd gleichwol wolt er nicht besitzen das Gericht.

H a c k. Aus Schein / als ob er noch den Schottschen Eyd
                                        behertzte /

P e t. Wenn er hir durch nur nicht Ambt / Stab und Haubt
                                        verschertzte.

H a c k. Sein Leben hångt hiran das Stuard nicht entgeh.

P e t. Ich spür / entging er uns / ein unerhörtes Weh /*
Es würd in einer See von Blutt diß Reich versincken
Vnd Cromwel selbst was er dem König einschenckt trincken.

H a c k. Der König wendet itzt die höchste Sanfftmut vor.

P e t e r. Wer auff die Sanfftmut fußt mein Hacker ist ein
                                        Thor.

[372] H a c k. Man muß bey solcher Noth bedachtsam umb
                                        sich schauen.

P e t. Nicht auff scheinheilge Wort und falsche Tugend
                                        bauen.

H a c k. Der Prister Schar macht uns das Volck nicht
                                        wenig irr.

P e t. Man zeige mir / was nicht der Prister-Schar verwirr.

H a c k. Sie schatzt vor Schuld und Fluch auffs Königs Blutt
                                        zu wütten.

P e t. Wie? sucht sie abermals Barabbas los zu bitten?

H a c k. Den sie vorhin mit Mund und Kirchen-Geld
                                        bekrigt?*

P e t. Sie schmertzt daß er vor uns / nicht ihren Füssen ligt /

H a c k. Ich schaue nicht wie sie mit Nachdruck sey zu
                                        zwingen.

P e t. Zu zwingen? last zwey / drey der frechsten Köpfe
                                        springen.

H a c k. Das vor Blutt-Zeugen sie das tolle Volck außschrey.
P e t. Man lege diser Schuld mehr Klage Stücke bey.
H a c k. Man weiß ... P e t. Halt Hewlet kommt – – Du
                    wirst den Abgott fållen*
Du Jerub-baal du / du wirst die Freyheit stellen
Auff unbewegten Grund. Du bists den Gott uns schickt /   55
Durch dessen Faust er Kirch und weites Land erquikt.
Vnd unsern Joram stürtzt. Leb ewiglich gesegnet!
H a c k. Du bist zu rechter Zeit mir gar gewündscht
                    begegnet.
Der Höchste rûste dich mit Stårck und Beystand aus!
Auff deinem Arm beruht der Britten Heil und Hauß.   60
H e w. Ich bin bereit mich selbst vor Brittens Heil zu wagen
In grimster Schmertzen Noth / wie kônt ich hir denn zagen
Nun der gerechte Gott des Ertz-Tyrannen Zil
Zu schrecken was noch herscht durch mich befesten wil.
H a c k. Recht so! doch das man auch das Recht nicht unrecht
                    handel;   65
Vnd auff gewisser Bahn / nicht ausser Gråntzen wandel;
Trågt dir / Krafft diser Schrifft / der Rath die Vollmacht
                    auff*
Vnd gônnt so vil an Ihm dem Vrtheil seinen Lauff.
P e t. Diß ist des HErren Wort! hir / hir ist Gottes Finger!
Er strafft nach heilgem Recht den Recht- und
                    Land-bezwinger /   70
Diß ist der grosse Schluß der in der Wåchter Schar
Einhellig abgefast und außgesprochen war.
Legt Hand an! last euch nicht der Blåtter Schmuck bewegen!
Legt Hand an! last uns Aest und Gipfel nider legen.
[373] Man haw den Baum entzwey / der Reiche / Stådt und
                    Statt /   75
Mit ungemeiner Pracht vor überschüttet hatt.

54 *Jerub-baal:* Name Gideons, weil er den Altar Baals zerstört hatte
    (Richt. 6, 32).
57 *Joram:* der Hauptmann Jehu hatte in Gottes Auftrag Joram, den
    König von Israel, getötet (2. Kön. 9, 24).

Schau Held! hir ist das Beil / das Gott dir selbst heist
reichen.*
Auff eil und mache dich an Carls unfruchtbar' Eichen /
Vns hat (es ist nicht ohn) der Blätter Schein verführt;
Nunmehr ists Zeit! haw' ab! H e w. Mein Hertze wird
gerührt.
Ich küsse Briff und Beil. Mir wird anitzt vertrauet;
Was noch von Anbegin die Erden nicht geschauet.
So viler heil'gen Wundsch und unterdruckter Wonn
Der längst erblasten Rach. P e t e r. Noch ungeborner
Sonn – – –
Wer da? – – Last uns von hir – – – Ich hab euch noch ihr
Helden
In innerster Geheim was wichtigs anzumelden.

Zwey Obersten.

I. O b r. Solt auch der Feldherr noch zu überreden seyn?
I I. Der Frauen Vorschlag ist nicht sonder Ruhm und Schein
I. Vnd Fairfax strebt nach nichts als unverwelckter Ehre
I I. Wie leicht ists daß er dann nach ihren Worten höre?
I. Die ungemeine Lib' unüberwindlich macht.
I I. Sie weiß daß Fairfax nichts so als / sie einig acht /
I. Gesetzt er steh es zu; was wil uns mehr gebühren?
I I. Großmüttig was wir schon versprochen außzuführen.
I. Waar ists des Königs Tod der steht mir gar nicht an.
I I. Diß einig ists was noch den Streich verhindern kan.
I. Vnd Britten von vil Schmach uns von vil Angst befreyen.
I I. Doch wie wann Carl durchauß hartnäckicht zu
verzeihen?
I. Hat er vor disem nicht so offt und vil verzihn?
I I. Wir zwingen gleichwol Ihn aus Land und Reich zu
flihn.
I. Zuflihn vor seinem Tod und unerhörter Schande
I I. Käm er mit neuer Macht uns widerumb zu Strande.

92 *einig:* einzig, allein.

I. Villeichte dint es wol vor das gemeine best.
I I. Ja wol! das wäre schön der Länder Heil befest.
I. Hochnötig wär' es daß man was zu fürchten hätte. 105
I I. So glaubst du daß man sich durch Furcht aus Vnruh
           rette?
[374] I. Aus Vnruh / was noch mehr aus höchster Sicherheit.
Vnd Zweytracht die schon blüht. Wie wirds nach diser Zeit
Vmb das Gebitte stehn? Was wird sich nicht entspinnen?
Sihst du wie Cromwel sucht die Hertzen zu gewinnen? 110
Durch was vor frembde Renck er sich ins Ansehn spil.
Glaubt man das Fairfax nicht versteh wohin er zil.
Dörfft auch der Bürger-Krig sich aus der Asch' erheben;
Wofern nicht Fairfax sich wil seiner Macht begeben.
Last auch gewündschte Ruh in Albion einzihn; 115
Wird dann nicht unser Ruhm mit unserm Dinst verblühn?
Wird nicht das Volck diß Stück gantz anderwerts betrachten;
Vnd die es itzund fürcht vor Königs Mörder achten?
Glaub es ist unser Nutz / das Britten in der Näh
Damit es munter bleib / was schwartze Wolcken seh. 120
I I. Vernünfftig überlegt. Wie aber würd' es gehen
Wenn wider uns das Heer auffrührisch wolt auffstehen
Vnd beiden – – – I. O. Stelle nur die Sorgen aus der Acht.
Das Heer ist uns zu Dinst. Wann hat es je bedacht
Was auch der Feldherr schloß. Weil ihm die Sonne scheinet; 125
Ist keiner der nicht lobt und preist was er vermeinet.
Man rühmt sein Anschläg' / ehrt sein ungemeine Stärck /
Mit kurtzem / was er thut sind lauter Wunderwerck.
Wird er des Königs Haubt zu retten sich bequemen
Sie werden all es vor ein rathsam Stück annehmen; 130
Man streich alsdann die That mit etwas Farben aus
So fält uns jeder zu. Ich glaub es sey kein Hauß
Von Ansehn / in dem nicht zum minsten einer klage:
Daß man sich mit dem Beil an Carols Nacken wage.

109 *Gebitte:* Gebot, Befehlsgewalt.
112 *das:* daß (Konj.).
119 *das:* daß (Konj.).

Auch die die vormals wol beschimpften seine Macht
Hat der betrůbte Fall in tiff' Erbarmung bracht.
Doch schau der Feldherr selbst. I I. O b. Halt unsern
                                        Schluß verholen
Biß er sich selbst zu erst erklåhre. I. Wol befohlen.

[375]   *Fairfax: Der I. und II. Obriste.*

F a i r f. Ich find euch hồchst-gewůndscht. Bleib Leib-wach
                                        was zurůck.
I. Der Feldherr sey gegrůst. F a i r f. Was důnckt euch
                                        zu dem Stůck?
Soll auff heut Albion das grồßte Traurspil sehen?
I I. O b r. Der Feldherr red' ein Wort / sein Wille soll
                                        geschehen.
I. Die Růstung steht bereit. Wann er nur Hand anlegt /
Wird Augenblicks das Werck wohin er wil bewegt.
F a i r f. Hab ich ohn euren Rath wol etwas vorgenommen?
I. O b. Ruhm ists wo wir Ihm je mit Rath entgegen
                                        kommen.
F a i r f. Was ůbrig / Freunde ligt so wol an euch als mir.
I. Bedarff er unsern Dinst zu etwas: Wir sind hir.
I I. Man fasst die Vrtheil' ab auff daß sie außzuführen.
F a i r f. Wolan! so sterb er dann / fahrt wol. I. Hir kan
                                        man spůren /
Daß sein Gemahl ihn nicht auff ihre Meinung bracht.
I I. Gutt ists / daß man sich nam auff seine Wortt' in acht.
Vnd nicht bald bloß gab. I. O b r. Ach! so muß der Kồnig
                                        leiden!
I I. O b r. Es scheint der Himmel heiß' Ihn aus dem Elend
                                        scheiden
Das vor der Thůren wacht. Wilst du nicht mit hinein?
I. Fahr wol mein Freund! ich mag nicht bey dem Bluttrath
                                        seyn.

Thomas Fairfax. Olivier Cromwell.

C r o m. Der grosse Tag bricht an der uns wird freye sehen.

F a i r f. Den aller zeiten Zeit wird loben oder schmehen.

C r o m. Ein ewig-blühend Lob siht nur den Außgang an.

F a i r f. Den weder ich noch du / noch itzund wissen kan.   160

C r o m. Es steht bey dir und mir das Werck recht
einzurichten.

F a i r f. Noch mehr bey GOtt und Glück zu stårcken was
wir schlichten.

[376] C r o m. Hat Glück und Gott bißher die Waffen
nicht gekrônt?

F a i r f. Offt hat die letzte Flucht den ersten Sig verhônt

C r o m. Es kan nicht übel gehn. Wir stehn für Kirch und
Hütten.   165

F a i r f. Diß gab auch Stuard vor / auff den wir itzund
wütten.

C r o m. Wir wütten wider den / der über uns getobt.

F a i r f. Den gantz Europ' und selbst gantz Albion gelobt.

C r o m. Das Werck ist nun zu fern / wir kônnen nicht zu
rücke.

F a i r f. Nur daß sein Vntergang uns beyde nicht erdrücke.   170

C r o m. Er drücke! wenn mit mir mein Todfeind nur
erdrückt.

F a i r f. Dein Erb-Herr   C r o m. Wider den ich Gottes
Schwerdt gezückt.

F a i r f. Wohin wird unser Kahn von disem Sturm
geschmissen?

C r o m. Vil besser Carols Kopff als meinen abgerissen!

F a i r f. Die Faust siht schrecklich aus die Fürsten Blutt
befleckt.   175

C r o m. Tyrannen Blutt steht frisch. Wie Feldherr / so
erschreckt?

F a i r f. Der Briten grosses Land ist ob dem Stück
erschrocken.

165 *Hütten:* Gotteshäuser, Kirchen.

C r o m. Warumb? daß Carol frist / was er uns ein liß
          brocken!

F a i r f. Der Prister gantze Rey rufft wider dises Spil.

C r o m. Sie selbst ist der das Werck im Anfang so gefil.

F a i r f. Sie rufft / sie schreit / sie schreibt / von Cantzel /
          Hauß und Stůlen.

C r o m. Sie schreibe wie sie wil und laß' uns Recht
          außspilen.

F a i r f. Die Cantzel bauet uns nicht wenig vor das Licht.

C r o m. Was geht den Krigsman an / was dort ein Pfaff
          anricht?

F a i r f. Kan nicht ein Prister offt vil tausend Mann
          bewegen;

C r o m. Er hat die Zunge nur / wir führen Stahl und
          Degen.

F a i r f. Ein starcker Mund richt mehr als tausend Degen
          an.

C r o m. Der Degen zäume den der sich nicht zäumen kan.

F a i r f. Diß Volck ist vil zu zart / man muß sie sannft
          einwigen.

C r o m. Mich muß ein Pfaffe nicht vil bey der Nase krigen.

F a i r f. Mit ihnen kommt und fleucht das Volck als Ebb
          und Flut.

C r o m. Ward nicht des Bischoffs Kleid besprützt mit
          Bischoffs Blut.

F a i r f. Wer hat ihn von dem Thron / als Prister
          abgedrungen?

C r o m. Man wage noch einmal was einmal ist gelungen.

[377] F a i r f. Man wagt ein Ding zwar offt / daß nicht
          stets gleich gelingt.

C r o m. Wer ist es / der uns / nun die Bischöff' hin /
          bespringt.

---

183 *bauet . . . Licht:* steht uns im Licht, hindert uns.
192 Bezieht sich auf die Hinrichtung des Erzbischofs Laud (1645); vgl.
    Gryphius' Anmerkung zu II, 101.
196 *bespringt:* angreift.

F a i r f. Die / so die Kirchenmacht der Eltesten erkennen.

C r o m. Vnd sihst du nicht daß sie sich suchen weiß zu
brennen?

F a i r f. Ich bin der nicht der in der Menschen Hertzen siht.

C r o m. Es kränckt sie daß die Schar der Vngebundnen
blüht.   200

F a i r f. Die sich hat in den Raub der Bischoff eingetheilet.*

C r o m. Es schmertzet jene / daß es ihrem Geitz gefeilet.

F a i r f. Auch kommt der Britten Recht nicht mit uns
überein /

C r o m. Der Britten Recht / mag Recht für schlechte Britten
seyn.

F a i r f. Der Völcker Recht verbeut Erb-Könige zu tödten. 205

C r o m. Man hört die Rechte nicht / bey Drommeln und
Trompeten.

F a i r f. Trompet und Drommel sind dem Könige
verpflicht.

C r o m. Vor / da er König war. Carl ist kein König nicht.

F a i r f. Wir selbst sind durch den Eyd fürs Königs Haubt
verbunden.

C r o m. Fürs Königs Pochen ist auch unser Eyd
verschwunden.   210

F a i r f. Vnd so kommt Engelland umb sein gekröntes
Haubt.

C r o m. Mit allen / die bißher an dises Haubt / geglaubt.

F a i r f. Das trotze Calidon sucht seinen König wider

C r o m. Wo es in Waffen sucht / schlag es gewaffnet nider.

F a i r f. Es hat auff Carols Haubt mehr Anspruch fast als
wir.*   215

C r o m. Was Calidon verkaufft das such es nicht bey mir.

F a i r f. Es schickt und dinget noch umb seines Fürsten
Leben.

C r o m. Es hat den Fürsten selbst uns Britten übergeben.

F a i r f. Als man das Leben Ihm außdrücklich zugesagt.

---

202 *gefeilet:* fehlgeschlagen, mißglückt; *feilen:* fehlen.
210 *Fürs:* aufgrund, wegen.

C r o m. Als durch vergossen Blut er noch nicht ward
                                        verklagt.
F a i r f. Man schwur: auffs minste nicht sein Heil und
                                        Haubt zu letzen.
C r o m. So pflegt man was man wil / den Kindern
                                        einzuschwetzen.
F a i r f. Schlågt man ihr Bitten aus / so trotzt man ihre
                                        Macht.
C r o m. Sie haben bey sich selbst ihr Bitten nicht bedacht.
F a i r f. Was werden sie nicht tun / wird ihr Anbringen
                                        feilen.
C r o m. Indessen mögen sie die nechste Wunden heilen.
[378] F a i r f. Die Catten springen selbst dem
                                        Vnterdruckten bey!
C r o m. Meint man das Catten Ernst / bey dem Ersuchen sey
F a i r f. Sie sind mit Stuards Hauß und Stamm und Statt
                                        verbunden.
C r o m. Noch mehr mit uns / die wir uns in ihr Recht
                                        gefunden.
F a i r f. Der Stuards Tochter hat / vermag da mehr denn
                                        vil.
C r o m. Waar ists! doch er vermag nicht alles was er wil.
F a i r f. Der todte Fürst / wird Fürst und Freund in
                                        Harnisch jagen.
C r o m. Die haben mehr denn vil zu Hause zu vertragen.
F a i r f. Ein König eyvert hart umb eines Königs Tod.
C r o m. Stuarda fil durchs Beil! was hatten wir für Noth?
F a i r f. Genung. Wenn Well' und Wind den Iber nicht
                                        bekriget.*
C r o m. Die sind uns noch zu dinst: wir haben mehr gesiget.
F a i r f. Wenn Albion nicht selbst Fürst Carlen bey wil
                                        stehn.

---

231 Mary, die Tochter Karls I., war mit Wilhelm von Oranien verhei-
        ratet. Möglicherweise auch Bezug auf die Kurfürstin Elisabeth, die
        Tochter Jakobs I., die in Holland im Exil war (Powell).
236 *Stuarda:* Maria Stuart.

C r o m. Wer vil von Carlen schwetzt / sol Carles Gånge
gehn! 240
F a i r f. Soll man durch so vil Blutt die neue Freyheit
kauffen!
C r o m. Wer dinen wil der mag in seinem Blutt ersauffen.
F a i r f. Wer immer Schwerdter wetzt kan keinmahl sicher
seyn.
C r o m. Man schreckt / was schrecken wil mit Schwerdt und
strenger Pein.
F a i r f. So wird des Adels Blum' und manches Hauß
verletzet. 245
C r o m. S'kommt auff zwey / drey / nicht an / wenn man
den Statt versetzet.
F a i r f. Springt auff der Schlangen Leib / sie beist noch in
den Fuß.
C r o m. Vmbsonst! wenn sie den Kopff zuknicken lassen
muß.
F a i r f. Das Werck wird gantz befleckt / durch so vil
Blutvergissen.
C r o m. Wir pflantzen Früchte / der die Nachwelt wird
genissen. 250
Nur muttig! du wirst sehn / ob schon der Anfang schwer;
Es werde für sich gehn. Ich habe mit dem Heer
Hoff / Richt-Platz / Port und Marck besetzt. Wil sich was
regen
So geh die Klinge loß. Der zittert vor dem Degen
[379] Der ein gevölltes Hauß / ein unerzogen Kind / 255
Ein Eh'bett für sich hat. F a i r f. Wir wissen wo wir sind!
C r o m. Ich schwere bey der Macht die mich so hoch
erhaben /
Wenn auch mein nechstes Blutt / ja meiner Heyrath Gaben
Im Wege wolten stehn / sie solten für mir seyn
Als der geringste Kopff der wütenden Gemein. 260

---

246 *den Statt versetzet:* den Staat umstürzt, reformiert.

Fairfax. Hugo Peter. Cromwell.

Wol / was komm't neues hir! P e t. Aus Catten alte
                                               Schreiben!
C r o m. Das Vrtheil låst sich nicht durch Federn
                                               hintertreiben.
P e t. Der Cron enterbter Erb / hålt fůr den Vater an!
F a i r f. Vmbsonst. Weil er nicht mehr als Briffe schicken
                                               kan!
C r o m. Was macht verruckter Sinn! was macht dich so
                                               vermessen
Zu pochen auff den Thron / den du nicht hast besessen!
Lehrt dich der Vater nicht wie schwach der Zepter sey /
Auff den er sich gestůtzt! Ha! blinde Phantasey!
Ha! schlechtes Printzen-Recht! komm an verjagter Kônig!
Kom! steh dem Vater bey! kom! Wo dein Hoff zu wenig
Treib Pfaltz und Nassau mit / komm' an mit Batos Heer!
Ja bringe (wo du kanst) auch Kônig' ins Gewehr!
Doch muß dein Carol fort. Vnd du vertriben trauren.
Die junge Natter kan kaum in der Hôlen lauren /
Die Lufft ist noch zu rauh: Doch pfeifft sie schon hervor.
Vnd steckt den schlauen Kopff und scharffe Zåhn empor.
Nein Printz. Verjagter Printz! du wirst mich so nicht
                                               schrecken!
Eh' wil ich dise Leich auff gleichem Sand' außstrecken
Eh soll mein eigen Stahl mir durch die Brůste gehn:
Eh Brittens Insel dir soll zu Gebotte stehn!
Komm! wage dich ins Reich! was kônt ich bessers hoffen!
Komm' Plimuth låst dich ein! die weitte Tems ist offen.
Es gilt dem Vater heut und ůbermorgen dir?
Der Sterbende begehrt den Lebenden von mir.
P e t. Der vilmal hundert Jahr sich liß durch einen
                                               zwingen;
Veråndert nicht so leicht. Ob Carols Kopff wird springen;

271 *Nassau:* Wilhelm von Oranien, Karls Schwiegersohn.
     Bato: Holland.

[380] Siht Schott / und Albion und Irr doch nach dem
               Thron.
Vnd wůndscht auff Stuards Stul den Kõnig oder Sohn
Gesetzt auch! daß wir itzt das Volck mit Eisen schrecken /
Wird doch diß Traurspil vil / bey vilen Leids erwecken.   290
Die Thrånen-Bach / die nicht frey von den Wangen rint /
Die ists / die einen Gang durchs schmachtend' Hertz gewint /
Vnd in die Seel ausreist. **F a i r f.** Was Rath das Volck zu
               dempffen?
P e t. Ein grõsser Schmertzen muß den mindern
               ůberkåmpffen.
Mitleiden wird alsbald durch strenge Furcht verjagt.   295
Man greiffe nach dem Kopff / der Stuards Kopff beklagt.
So / weil ein jeder muß ob eigner Noth erzittern /
Wird nicht ein frembder Fall die Seelen gros erschittern.
Gesetzt auch das der Geist des Kõnigs in sie fůhr /
Das ein gesammelt Volck zur Rache sich verschwůr: 300
Nimm nur die Haubter ab / die andre leiten kõnnen.
Gib ihr Vermõgen preis. Ihr werdet vil gewinnen
Durch eines grossen Hab' in dem der Põvel theilt
Kommt dir die Macht anheim. Wird einer ůbereilt
Durch was zu strenges Recht / und fållt im Mordgetůmmel: 305
Beklag ihn! doch gib vor: Der nur gerechte Himmel
Hab ein verborgen Stůck / durch unverhoffte Macht /
Vnd wolverdinte Rach an helles Licht gebracht /
Noch eins. Man schone nicht. Wer strauchelt: den stoß nider.
Wer frevelt: der vergeh. Nichts ist das mehr zu wider   310
Durch sich erworbner Macht / als laues Linde seyn.
Dem / welchem man verzih / kommt ehr sein Fehlen ein
Als daß er durch dich frey. Wer wil dir schuldig bleiben
Gut / Ehre / Stand und Leib. Geld pflegt man zu
               verschreiben /
Vnd forderts wider ein. Das Leben ist zu vil   315
Drumb setzt es nicht umbsonst auff ungewisses Spil.

312 *einkommen:* bewußt werden.

Da auch des Adels Macht den Vorsatz sucht zu
                                   hindern – – –*
Doch / warumb schwåtz ich hir / man kan ihr Trotzen
                              mindern
Auch sonder meinen Rath. F a i r f. Entdecke dein Gemût!
P e t. Ich mißbrauch ohne Noth des Haubtmans Zeit und
                                   Gût.
[381] F a i r f. Mit nichten. Fahre fort! H. P e t. Da man
                              mich ja wil hôren;
Dafern ich Weisere denn mein Verstand sol lehren:
So setz ich / daß nichts mehr den Adel groß gemacht /
Als erstgeborner Recht. Wenn dises weg gebracht
So steht er / als entwehrt. Man lasse gleich auffheben /
Die gleich / auff gleiche Zeit / von gleichen Eltern leben.
Scheins mehr denn nur zu vil. Mein Bruder geht mir vor /
Warumb? umb daß ich nicht vor ihm den Tag erkor /
Soll ich / umb daß der Mond ihn neunmal ehr beschinen:
Entgûttert von ihm gehn / und als Leibeigen dinen?
Da der geschwinde Geist mir offt vil besser steht /
Als sein vernebelt Kopff / den ihm der Wahn erhôht /
Vnd Dûnckel ausgefûllt. Wer wird den Schluß nicht loben?
Gleich Bruder gleiches Erb. Die ersten mögen toben
Steht ihr den andern bey. Wer fordert nicht was ein?
Wer wil in eigner Sach' ihm selbst im Wege seyn?
Noch mehr! sie werden euch durch dises Stûck verbunden /
Durch welche sie ihr Erb und Vatertheil gefunden /
Durch welche sie beschûtzt. Wenn nun ihr Stamm sich mehrt
Zersplittert sich ihr Gutt. Vnd was man vor geehrt
Verfållt in leichten Staub. Denn wird die Pracht zutretten /
Die von dem Pôvel sich auff Himmlisch anliß betten /
Denn herrscht wer Waffen fûhrt. Denn wird gantz Britten
                                   rein
Von Adel / Graff und Printz / trotz Catt und Rheten seyn.

325 *entwehrt:* wehrlos.
    gleich auffheben: auf dieselbe Stufe stellen, dieselben Rechte genießen.
344 *Rheten:* Rätien, römische Provinz, die Südbayern, Tirol, Vorarlberg

Cromw. Gar recht! Pet. Noch etwas mehr ist hir in acht
                    zu nehmen; 345
Sie sehn der Herren Haus wird übel sich bequemen.
Kaum einer schleust mit uns auffrichtig Carols tod.
Drum eh'stes abgesetzt! Wer die gemeine Noht
Nicht Våterlich behertzt! wer sich vor die wil wagen
Die wir zu aller Heil durch unser Schwerdt geschlagen; 350
Wer den Tyrannen noch gekrônt anbetten will /
(Der nach so langem Krig aus seinem Thron verfill;)
Wird (glaubt es) nichts dem Volck / dem Heer nichts
                    tauglichs rahten.
So lang als diser Wald das Land wird überschatten;
[382] Getröste die Gemein sich ein'ger Sonnen nicht. 355
Fairf. Wie aber wenn uns Recht und Prister widerspricht?
Du sihst / sie scheuen nichts / wie hefftig wir auch schrecken
Mit Kercker / Band und Noth / ihr Murren zu entdecken.
Pet. Der Feldherr glaub es fest / es wird nicht besser stehn;
Biß rechtsgelehrter Nam und Stand wird untergehn. 360
Wir haben Krafft des Sigs / Macht Satzungen zu stifften;
Drumb weg mit dem was stets fußt auff verfaulte Schrifften!
Der Kirchen-macht ist todt / wer auff die Inful hålt;
Muckt / fleucht / und ist vorlångst auff Laudts sein Grab
                    gefållt.
Was übrig zwey't sich selbst. Die Eltesten begönten* 365
Sie schafften Hülff und Geld / und was wir wündschen
                    kônten /
Sie lockten Heer und Volck aus Calidon ins Land /
Vnd drungen Stab und Schwerdt dem Kônig aus der Hand;
Itzt schmertzt sie daß die Schar die nicht auff Håubter sihet /
Vnd nur sich selber führt; mit diser That bemühet / 370
Vnd letzten Außschlag gibt. Drum raast sie sonder Sinn
Vnd bleibt doch eben schôn'. Erweget den Beginn
Nicht nur des Traurspils End / und sagt wer mehr gewaget.
Nach schon beschehner That wird nur zu spåt geklaget.

    und das Gebiet des Oberrheins umfaßte. Anspielung unklar; Habs-
    burg (Powell)?

Doch gut für uns das sich die Schar itzt trenn' und beiß /
Vnd jenem der diß Stück / und jener dem verweiß.
C r o m. Man muß die Schrifftling' itzt hart an einander
                                            hetzen;
So schwächt ihr Sturm sich selbst ohn unser Widersetzen.
Ich schaff ohn Auffschub an daß man noch heut außschrey;
Das Stuards Sohn entsetzt von Cron und Außspruch sey.
F a i r f. Vnd du? wo eilst du hin. P e t. Gleich nach dem
                                    Traur-Gerüste.*

Fairfax.

Geh aller Schelmen Schelm' / ergetze deine Lüste
Mit umbgesprützten Blutt! zudrümer dises Reich
Vnd mach es wie du suchst den wilden Inseln gleich!
Scheinheilger Bub'. Ich beb' / ich starr' / ich schau mit
                                            schrecken:
Wie sich die Boßheit könn' ins Kirchen-kleid verstecken /
[383] Was vor ein Feuer sie im heilgen Schein auffbläß /
Wie übergrimmig sie in solchem Schmucke raaß.
Der / den neu Albion zu lehren außgesendet:
Hat sein vertrautes Ambt ohn Scheu und Scham geschåndet.
Er liß die Kantzel stehn / kam zu uns über Meer;
Vnd bracht auff Stuards Haubt die grimsten Anschläg' her.
Er der des HErren Wort und Friden solt' ankünden;
Eilt mit den Rotten sich boßhafftig zu verbinden /
Hetzt auff der Cantzel selbst das Volck zum Blutt-bad an /
Schnaubt Eisen / Büchs und Mord. Ja der verruchte Man
Ergriff Helm / Degen / Stab / und rånnte (trotz Gewissen!
Trotz Ambt! Beruff und Stand!) zu freveln Bluttvergissen.
Er liß mit Cromwel sich in enge Bündnüß ein /
Schlug Carols Bande vor / verhetzte die Gemein

377 *Schrifftling':* Schreiber, Juristen.
389 Gemeint ist der Independentenführer Hugo Peter, der aus der Emi
      gration in Neuengland zurückgekehrt war. Vgl. Gryphius' Anmerkung
      zu I, 253.
398 *freveln:* frevelhaftem.

Des Heers / Ihn vor Gericht in höchster Schmach zu stellen /
Kiest selbst die Blutt-Råth' aus / sucht alle zu vergållen /
Auff was nicht mit ihm tobt'. Vnd rühmt noch Licht und
Geist!
In dem er Recht und Stand als überhauffen schmeist.
Diß nennt man geistlich frey / diß heist auff nimand sehen / 405
Vnd keines Anhang seyn / nicht irr'gen Menschen Flehen /
Außbannen Strick und Zwang der die Gewissen drückt /
Zureissen was die Seel in Dinstbarkeit verstrickt.
Ich weiß man sucht das Band der Scharen schon zu trennen;
Man sucht (ich spür es wol) mich heimlich anzurennen / 410
Man gibt auff meine Wort / ja Tritt und Vmbgang acht /
Vnd zeucht den treuen Dinst leichtfertig in Verdacht.
Dem Degen hab ichs nur und meiner Faust zu dancken /
Daß ich mich noch nicht schau auff disem Glåteiß wancken /
Da mancher sich erhöht durch meinen Fall wil sehn. 415
Doch / was kan unverhofft nicht / in dem nun geschehn!
GOtt! ewig-grosser GOtt! wie find ich mich bestritten!
Mein Geist erschrickt mir graut vor dem erhitzten Wütten!
Ich fil der Mordschar nicht mit meiner Stimmen bey;
Bin von der Vnterschrifft des rauhen Macht-Brifs frey / 420
Erklårte mich / daß mir nicht Stuards Tod belibte /
Der weiß / der alles weiß / wie mich der Schluß betrübte!
[384] Ich war / und wår' / ach! stünd es nur in meiner
Macht;
Sein Haubt von Stock und Beil zu retten noch bedacht;
Vnd doch wird mir / was mir zu wider / hir betriben 425
Ja diser Mord-schlag selbst von meisten zugeschriben.
Wer nah diß Vnheil siht / wer fern diß Traurspil hört /
Glaubt daß ich selbst mein Ehr auffs gifftigste versehrt /
Vnd legt mir dises zu was ich doch höchst verfluche.
Wer gibt mir was ich mit beklemter Seelen suche? 430
Daß ich mich dermaleinst vor allen frey erklår;
Damit nicht frembde Schuld mein stilles Grab beschwer.

416 *in dem nun:* im Nu.

Brich an gewündschtes Licht / in dem erlaubt zu sagen;
Wer Kolen zu der Glutt / wer Wasser zugetragen!
Wie denck ich doch so fern bey der so nahen Qual?
Wie halt ich dir mein Wort bestürtztes Eh-Gemahl?
Ach! mit was Anblick / mit was Thränen auff den Wangen;
Wirst du Betrübte / mich Bekümmerten / empfangen!
Mich / der sein inners Leid und schärffsten Vberdruß
Mit Freuden-vollem Aug' / O Schmertz! verdecken muß.
Muß? muß ich länger denn zu schlimsten Bübereyen /
Ich? Namen / Ehr' und Faust als ein Leibeigner leihen?
Nein warlich! bricht man heut des Königs Thron und Stab;
So schmeiß' ich aus der Faust den Krigs-Stock bey sein Grab.

Hoffe-Meister des Pfaltz-Graff-Chur-Fürstens.
Der Gesandte aus Holland.

H o f f m. So ists. Der herbe Grimm der ungeheuren
                                                    Britten /
Hat disen Schluß gefast auffs Königs Hals zu wütten.
Hir gilt kein bitten mehr. Auch ists ein leerer Fleiß
Zu reden mit Vernunfft wo man nichts von ihr weiß.
G e s a n d. Hab ich durch rauhe Lufft / durch Tritons
                                                    stoltze Wellen /
Durch halb zustücktes Eyß / durch Sturm / das Bild der
                                                    Hellen /
In dem der strenge Frost das Ruder uns versagt /
Mich in ein wilder Land als seine See gewagt:
[385] Daß nach vergebner Müh ich mit bestürtzten Sinnen /
Schaw' als beschickter Zeug ein unerhört Beginnen!
Ein mehr denn blutig Spil! und in der That erfahr
Wie wenig Bato sich / durch die so harte Jahr
Von Britten trew bewehrt / auff Britten zu verlassen?

nach 444 *Hoffe-Meister des Pfaltz-Graff-Chur-Fürstens:* Hofmarschall
     des Kurfürsten Karl Ludwig von der Pfalz, des Neffen Karls I.
449 *Triton:* griechischer Meerdämon, Sohn des Poseidon.
450 *Bild der Hellen:* Ebenbild der Hölle.
454 *beschickter:* vorgeladener.

Auff Britten / das verstockt diß Vrtheil liß verfassen!
Vnd voll von Trotz außführt / und Leich auff Leichen
                                    håufft /
Ja blind aus tiffer Ruh' in tiff Verderben låufft.   460
H o f f m. Mein Herr / wir müssen nicht nur dises Licht
                                    verfluchen!
Wenn wir des Kônigs Jahr und raue Zeit durchsuchen /
Wird man von Tag zu Tag die Ketten-Glider sehn
In die der Fürst verstrickt. Es war umb ihn geschehn /
Nicht nur als Calidon Ihn treuloß übergeben /   465
Nicht nur als er in Hafft das Sorgen-volle Leben
Entfernt von Diner / Rath und Freund' in Ach verzehrt /
Nein! seine Macht verfil / als man das heilge Schwerdt
Das GOtt den Printzen gibt / ihm aus der Faust gedrungen /
Als sein bestürmt Palast stets mit Tumult besprungen /   470
Als leichter Buben Schaum gleich einer Flut auffliff /
Vnd frech / ich weiß nicht was durch alle Fenster riff /
Als man von seiner Seit die alle hingerissen /
Die sich mit ernster Treu zu seinem Dinst beflissen /
Als er von Wentwort nicht den ungeheuren Schlag /   475
Zu wenden måchtig war / als der bestürtzte Tag
Ihn von hir weichen sah' / als man in Kirch und Chôren
Liß wider seine Cron und GOtt's Gesalbten lehren /
Als Ihn verleumbden selbst zu einem Ketzer macht /
Vnd durch der Cantzel Glantz das Volck in Eisen bracht!   480
Als Hotham ihm sein Hull verwidert zu entschlissen.*
Als man auff Edgehill gewaffnet ihn liß grüssen
Als Jorck und Bristoll weg / Glocester überging
Montroos' entweichen must / als man den Poyer fing /
Da fil sein Zepter hin. Itzt lifert er die Leichen   485
Auff Brittens Schau-gerüst / zu einem Greuel-Zeichen
Zu einem Wunderbild / zum Vorspil diser Noth
Die über Britten wacht. Vor war der Kônig tod

---

479 ›Ihn verleumbden‹ ist Subjekt.
484 *Montroos', Poyer:* James Montrose und John Poyer, besiegte Offi-
    ziere Karls.

[386] Itzt stirbt sein Kônigreich. Last uns den Tag begehen
Mit seufftzendem Gewein. Es mûssen Grampens Hôhen*
Erschallen von Geheul. Auff heut / legt Engelland
An sich die mit dem Beil / (Ach! Ach!) bewehrte Hand.
G e s a n d. Man siht daß die numehr / die Freyheit vor
                          gesuchet /
Verscheucht / verstreut / versteckt / gekerckert / und
                          verfluchet.
Was ist der Herren Hauß itzt als ein leerer Nam.
Wer in des Pôvels Mund durch Schrifft und Reden kam;
Sitzt nun mit Eisen fest. Man muß den Cromwell ehren /
Vnd Fairfax wolt uns vor eh’ als die Landstånd hôren.
H o f f m. So stillt der Drommel-klang die rasende Gemein.
Wer Kônige verdammt / wil mehr denn Kônig seyn.
G e s a n d. Er liß nach langer Mûh und ungeschwechtem
                          Flehen /
Vns endlich gestern spåt der Håuser Schatten sehen.
Was brachten wir nicht vor das zu bedencken stund?
Die Sache legt uns selbst Bewegungs-Grûnd’ in Mund!
Man hôrt uns: nur zum Schein. Wir haben nichts erhalten!
Als: daß der Lånder Heil den Kônig hiß erkalten /
Daß man das hohe Stûck schon lange Zeit bedacht /
Daß sie der Sachen Noth auff disen Schluß gebracht.
H o f f m. Was hat Chur-Pfaltz versucht? was hat er nicht
                          gewaget!
Eh man den Kônig noch vor allem Volck verklaget!
Was unterliß mein Fûrst als man den Stab zubrach /
Vnd auff des Kônigs Hals die frechen Wort außsprach?
O umbgekehrtes Glûck! der uns zu schûtzen dachte
Ist Schutzlos und vergeht. Der uns noch Hoffnung machte;
Hofft nichts mehr als den Tod. Der Båyern hat erschreckt /
Der in dem grossen Wien vil Argwohn hat erweckt

495 *der Herren Hauß:* das englische Oberhaus, House of Lords.
502 *der Håuser Schatten:* das sogenannte Rumpfparlament.
515–517 Wåhrend des Dreißigjåhrigen Krieges hatte Karl mit Bayern,
Österreich und Spanien über das Schicksal der Pfalz verhandelt.

Auff den der Iber laurt / auff den der Rhein getrauet /
Nach welchem Deutschland sah' / ob dem den Feinden
                                                      grauet;
Fällt heut vor seiner Burg durch eines Henckers Schlag!
O Tag! den / was nur ist und wird / anspeyen mag!   520
O die ihr zu dem Brand verdeckt habt Oel getragen;
Denckt ob Printz Stuards Hals ein Richt-beil könn'
                                                      abschlagen?
Ob nicht sein Vntergang des euren Vorspil sey:
Ob ihr / wenn diser fällt von Sturm und gleiten frey?
[387] Was red ich! und zu wehm! kom Jacobs Geist und
                                                      schütter   525
Des Cörpers Aschen ab. Kom Jacobs Geist und zitter!
Wie handelt man dein Blut! kom Jacobs Geist hervor /
Vnd schrey wo du noch kanst in der gekrönten Ohr /
Vnd heische rechte Rach. Europens Götter höret
Printz Stuards Seufftzer an! lernt Götter! lernt und lehret 530
Wie leicht der Thron versinck; Europens Götter kennt /
Kennt euch und eure Pflicht. Der grosse Nachbar brennt!
Gekrönte denckt was nach. Das Blut das hir wird flissen /
Das Blut mit welchem Carl sein Leichtuch wird begissen;
Ist eur / und euch verwandt! Gekrönte! könnt ihr ruhn?   535
Carl schreibt mit seinem Blut was euch hirbey zu thun!
G e s a n d. Mich dunckt ich sehe schon den Pont von
                                                      Schiffen schwanger /
Den weitten Port besetzt / der Britten fruchtbar Anger:
Mit Lägern überdeckt. Die Städt': in lichtem Brand.
Die Jungfern in dem Kott. Die Mannschafft: auff dem
                                                      Sand.   540
Die enge See: voll Raub. Die Landschafft: außgezehret.
Die Kirchen: in dem Grauß. Die Dörffer: gantz verheret
Den Nachbar: mit im Spil. Mich dünckt ich seh die Glutt

---

524 *gleiten:* Gleiten.
529 *Götter:* Herrscher, Fürsten.
537 *Pont:* Meer (lat. pontus).
543 ff. Powell bezieht diese Zeilen auf die Besetzung der Niederlande

Die Catten überfil / als die entfårbte Flutt
Des Ibers Grausamkeit mit ihrem Schleim bedeckte /
Vnd meiner Våter Blutt von beyden Vfern leckte.
Ich sehe Feind und Feind / und hir: die Vortheil schlecht /
Ja eben so vil Glück / als ihre Sache recht.

Zwey Engellåndische Graffen.

I. HErr! der du ausser Zeit / vom Thron der Ewikeiten
Vns Menschen unser Zil nicht låssest überschreiten;
Warumb hat sich mein Maß biß auff den Tag erstreckt?
Warumb hat man nicht långst den greisen Kopff bedeckt
Mit noch von Burger-Blut nicht gantz beflecktem Sande?
Warumb verging ich nicht in meinem Vater-Lande?
Das in den Zügen ligt / und zagt in grimmer Pein.
Muß denn das Leben mir an stat der Straffe seyn?
[388] In dem man hir auff uns die glantzen Schwerdter
                                             wetzet /
Dort das geschreckte Volck mit Mördern starck besetzet /
Hir Brittens letztes Glück mit Stuards Kopff abschmeist /
Dort Graff und Richter selbst in grause Kercker weist.
Was hätte Britten mehr vor Leids erwarten können /
Wenn (da die Jugend mir wolt erste Kråffte gönnen)
Die unter-irrd'sche Glutt den tollen Pulverschlag
Befördert in die Lufft / und den bestürtzten Tag
In eine grause Nacht / und Ebenbild der Hellen
Vnd der gejagten Thems / mit Grauß vermischte Wellen /
In grauen Schlam verkehrt. Dort wer auff einem Streich
Das Wetter überhin: Itzt zagt die müde Leich
In langer Todes-Angst. I I. Die Last der vilen Jahre
Bringt über den Verdruß und Schnee der grauen Haare
Den starcken Eckel mit / daß keinem nichts gefält
Als was im schwange ging / da ihn die süsse Welt

durch Spanien im 16. Jh. und nicht, wie Tittmann und Palm, auf
die Verwüstung der Pfalz im Dreißigjährigen Krieg.
563 Anspielung auf die Pulververschwörung von 1605 (vgl. Anm. zu
    II, 227).

In erster Blůt anlacht. Als wenn nicht jede Zeiten /
Verknůpfft mit Lust und Angst. Gekrônt mit Ruh und
                                        Streiten.
Gesetzt auch / daß die Welt offt in dem Wechsel geh'   575
Was mag gewůndschter seyn / als wie von einer Hôh'
Das Spil der Himmel schaun / und da wir auch was leiden:
Was ists das man verleurt / als was ohn diß muß scheiden?
I. Der Dinge Wechsel sehn mit unverzagtem Mut;
Selbst in dem Spile seyn / und (da es Noth) sein Blut   580
Auffopffern fůr Altar / fůr Stat / fůr Hauß fůr Lehre /
Kan nicht als herrlich seyn. Ja schmeckt nach hôchster Ehre /
Diß aber was wir thun; das wir mit toller Hand /
Mutwillig Kirch und Thron einsetzen in den Brand /
Einâschern Stat / und Stadt / daß wir aus heisser Aschen   585
Auffblasen neue Glut / und Blut mit Blut abwaschen /
Diß /red' ich / ist zu hoch! man růhmt an keinem Ort /
Den / der sein eigen Schiff selbst in den Grund gebort.
I I. Man heilt zuweilen nicht als nur durch Brand und
                                        Eisen.
I. Heist diß das Reich geheilt / wenn nun kein Reich zu
                                        weisen?   590
I I. Besteht das Reich denn nur in eines Fůrsten Macht?
I. In Fůrst und Vnterthan / und der mit Fůrsten wacht.
[389] I I. Wem hat man dise Wach' in Britten je befohlen?
I. Wem ist das Parlament in Albion verholen?
I I. Diß / wenn der Kônig hin / setzt andre Kônig' ein.   595
I. Wer greifft den Kônig an? wer krâncket die Gemein?
I I. Hat ein und ander Hauß nicht Stuards Tod beschlossen?
I. Hat ein und ander Hauß der Freyheit itzt genossen?
I I. Zeucht man der Hâuser Recht bey jemand in Verdacht?
I. Ist ein und ander Hauß nicht lângst zu nicht gemacht?   600
I I. Durch wen? der sich bemůht die Freyheit uns zu geben!
I. Als ein und ander Hauß liß Sitz und Recht auffheben?
I I. Wer zwang das Parlament daß es sich selbst verliff?

---

597 *ein und ander Hauß:* Ober- und Unterhaus des englischen Parlaments.

I. Wer war es / der itzt ein itzt ander Glid angriff?
I I. Aus Noth / umb viler Wahn / und harten Sinn zu
                        schrecken!
I. Ist unserm Heer vergônt in Fessel uns zu stecken?
I I. Warumb nam man das Heer was besser nicht in acht?
I. Warumb hat nicht das Heer den theuren Eyd bedacht?
I I. Es geht so gleich nicht ab wenn man den Statt wil
                        ândern!
I. Es geht so gleich nicht zu / wenn Vfer sich versândern!
I I. Was hir der Strom wegnimmt das fûhrt er dort herzu.
I. Er fûhrt den Friden hin! was bringt er uns fûr Ruh?
I I. Man kan durch kleinen Zanck die lange Ruh verbessern!
I. Verbôsern / sprich recht aus. Es laufft aus andren Fâssern.
I I. Den Anfang siht man klar. Ist nicht der Gotts-Dinst
                        frey?
I. O Jammer! sah man mehr in Britten Ketzerey?*
I I. Der Cantelberger fil. Die Infeln sind verstoben.
I. Vnd alle Kirchen-Zucht mit ihnen auffgehoben!
I I. Man setzt an ihren Ort Vorsteher treulich ein!
I. Wo sind sie? hôrt sie wol die wûttende Gemein?
I I. Man sol den Vorschlag nicht aus seinem Ausgang richten.
I. Beherscht man sonder Zucht das grosse Volck? mit nichten.
I I. War nicht des Bischoffs Hut mit viler Schuld
                        beschwârtzt?
I. Im fall ein Richter feilt / wird stracks das Ampt
                        geschertzt?

609 *gleich:* gerecht; eben, gerade.
614 *Es laufft aus andren Fässern:* Sinn wahrscheinlich ›Das hat ein ganz
    anderes Aussehen‹.
617 *Der Cantelberger:* Erzbischof Laud.
    Infeln steht für Bischôfe (vgl. Anm. zu II, 54).
619 *Vorsteher:* Presbyter; in der evangelischen Kirche Kirchenälteste,
    angesehene Laien, denen die Wahrung der Kirchenzucht und die Lei-
    tung der äußeren Gemeindeangelegenheiten oblag. Die Gemeinde-
    selbstverwaltung durch Geistliche und Presbyter war eins der Haupt-
    merkmale der von den Stuarts bekämpften »Presbyterianischen« Kirche
    sowie der Independenten.
624 *geschertzt:* verspottet, verhöhnt.

I I. Die Infel war bedacht die Ketzerey zu grůssen.   625
I. Wenn ist mehr Ketzerey / als nach ihr / eingerissen?
Sie streicht durchs grosse Land als mit enthůllter Fahn!
Mit kurtzem! was wir thun / dint leider nicht gethan.
[390] Man hat mit Wentworts Kopff die Hencker lassen
                                    spilen:
Was lid Jerne nicht? was musten wir nicht fůhlen /   630
Als man den Printzen selbst von seiner Burg verjagt?
Wir suchten frey zu seyn / als uns ein Knecht vertagt.
Wir wolten långer nicht die gůldnen Zepter grůssen:
Itzt werden groß und klein / mit scharffen Stahl
                                    zuschmissen.
Vns fil die leichte Last der Steuren vor zu schwer /   635
Itzt schåtzt uns fůr und fůr ein unersåttig Heer.
Es wolt unleidlich seyn dem Fůrsten was zu geben:
Itzt reist man alles weg / die Mittel selbst zu leben.
Man stiß die Bischoff' aus: itzt folgt der Adel nach.
Der über Straffords Hals das bluttig' Vrtheil sprach /   640
Der den gekrånckten Laud halff auff den Mord-Platz fůhren;
Fůhlt nun wie sůß es sey die Freyheit zu verliren /
Zu kůssen Block und Beil. Itzt geht der Kōnig hin!
Mit ihm stirbt unser Glůck. Bedencke den Gewin
Wenn uns nach seinem Fall wird tōdten und verbannen /   645
An eines Printzen statt / ein gantzes Heer Tyrannen.
Wie? oder meint man wol das Beil werd' allhir stehn?
Vnd nicht durch Carols Hals in unsre Nacken gehn.
Wer ihm zu Dinst verpflicht / wer hurtig mit dem Eisen
Wer zwey / drey Ahnen mehr als Cromwell auff kann
                                    weisen /   650
Den nicht der Bůrgerkrig an Bettelstab gebracht;
Der noch nicht borgen geht: der dencke: gutte Nacht
Der Richt-Platz ist fůr mich. Was werden wir nicht fůhlen
Wenn sich die Kōnigs-Rach in unserm Blut wird kůhlen?
Wenn ein benachbart Heer! halt an betrůbter Geist /   655

636 *schåtzt:* besteuert, bedrückt.
647 *stehn:* stehenbleiben, haltmachen.

Vnd friß dein Leid in dich! verdrücke was dich beist!
Ein Schmertz / der mächtig Hertz und Leben abzubrechen
Vnd Marck und Seel auffzehrt / ist doch nicht
                        auszusprechen!
Auch greifft nichts härter an / kein Eisen ritzt so scharff:
Als wenn man reden wil / und doch nicht reden darff.
I I. Der Außgang wird die Furcht und Meinung widerlegen.
Die Sache spricht für uns / wir gehn auff rechten Wegen.
I. O wolte! wolte GOtt! ich zweiffel! er verley!
Daß dises nicht der Weg zu beyder Richt-Klotz sey.

[391]   *Cromwell. Der Gesandte aus Schottland.*

G e s a n. Ich frage / mit was Recht kan man die Bitt
                        ausschlagen?
C r o m. Eur eigne Wolfahrt zwingt uns dises zu versagen.
G e s a n. Wie? Wolfahrt? wenn ihr uns in unserm Haubt
                        verhönt!
C r o m. Der Richter Schärfe wird durchs heil'ge Recht
                        versöhnt.
G e s a. Wer gibt euch dise Macht der Schotten Haubt zu
                        richten?
C r o m. Man muß der Britten Zanck durch Themis
                        Richt-Axt schlichten.
G e s a. Schlagt ihr den hohen Eyd so schändlich aus der
                        acht?
C r o m. Weil Stuard selbst nicht hat was er uns schwur
                        bedacht.
G e s a. Was schwur er daß er nicht mit höchstem Fleiß
                        vollzogen.
C r o m. Als seine Leib-Standart ist wider uns geflogen?
G e s. Wie offt hat Cromwell sich vor Carols Heil erklärt!*
C r o m. Waar ists / daß ich von Gott es inniglich begehrt.
G e s. Wie daß er dann sein Wort / ja sein Gebet gebrochen?

673 *daß:* das (Relativpron.).

C r o m. Weil Gottes Geist in mir dem Betten
        widersprochen.
G e s a. Gab Schotten euch sein Haubt zu diser herben
        Schmach?
C r o m. Sprecht warumb dachte da nicht Schotten besser
        nach!   680
G e s a. Ihr habt zur übergab uns durch den Eyd bewogen.
C r o m. Man hält dem keinen Eyd der uns dadurch
        betrogen.
G e s a. Wie? greifft man Schotten noch mit disem Vorruck
        an?
C r o m. Wenn Schotten uns / wie nechst / mit Krig
        angreiffen kan.
G e s a. Wir fochten (wie es recht) vor unsers Königs Leben. 685
C r o m. Vnd der gerechte GOtt / hat uns den Sig gegeben.
G e s a. Pocht Britten nicht zu vil / der Tag ist noch nicht
        hin!
C r o m. Wir haben unter des den Morgen zum Gewin.
G e s a. Wer gar zu zeitlich lacht muß offt vor Abends
        weinen.
C r o m. Ein Beyspil wird noch heut an Stuards Kopf
        erscheinen.   690
G e s a. Wol! spigelt euch an dem der so verfallen kan.
C r o m. Wir thuns! drumb sehen wir / was GOtt und Recht
        wil / an.
[392] G e s a. O Recht! verkehrtes Recht! wer hat hie recht
        gesprochen?
C r o m. Gantz Britten hat den Stab auff Stuards Hals
        gebrochen.
G e s a. Gantz Britten? sagt zwey / drey / die diser Tod
        ergetzt!   695
C r o m. Hat nicht das Parlament die Richter selbst gesetzt?
G e s a. Das Parlament? wo ists? in welches Kerckers Hölen?
C r o m. Man kärckert niemand ein / als dinstbegir'ge Seelen.

683 *Vorruck:* Vorwurf.
684 *nechst:* vor kurzem, neulich.

G e s a. Wer richtet? der nicht vor gewaffnet bey euch stundt.

C r o m. Vnd der / dem Landes Bräuch' und Grundgesetze
                                              kundt.

G e s a. Dem es an Macht und Mut gebrach sich zu erklåren!

C r o m. Wer wil sein eigen Hertz mit frembder Schuld
                                              beschweren!

G e s a. Der aus des frembden Fall Nutz oder Vortheil
                                              sucht.

C r o m. Des Fürsten Tod verspricht uns noch geringe
                                              Frucht.

G e s a. Was zwingt euch denn sein Blut so schmåhlich zu
                                              vergissen?

C r o m. Weil dreymal funfftzig Mann einstimmig es
                                              beschlissen.

G e s a. Zwey drittheil gingen fast in zwey / drey Tagen
                                              ein.*

C r o m. Vnd dennoch war die Zahl der Richter nicht zu
                                              klein.

G e s a. Ihr habt mit Zwang und Macht die meisten kaum
                                              erhalten.

C r o m. Wir haben tausend noch die dises Recht verwalten.

G e s a. Kaum einer fållt euch bey / der ausser eurer Macht.

C r o m. Ein dunckel Aug' hat nie der Sachen Wehrt
                                              betracht.

G e s a. Waar ists. Ich kan der Straff Vrsachen nicht
                                              ergrůnden.

C r o m. Wiss't ihr des Rômschen Briffs Geheimnůß nicht zu
                                              finden?

G e s a. Wie daß ihr den gekrônt der solche Briffe schrib?

C r o m. Weil das verblůmmte Stůck vil Jahr verdunckelt
                                              blib!

714 Anspielung auf den Versuch Karls und des Erzbischofs Laud, die
    englische und schottische Kirche zu vereinigen. Die 1636 auf Befehl
    Karls verkündete Liturgie wurde für papistisch angesehen und führte
    zu den ersten Unruhen in Schottland. Vgl. Gryphius' Anmerkung zu
    II, 112.

G e s a. Vil Jahr verdunckelt blib? wer hat es nun entdecket?

C r o m w. Die Zeit welch' aus der Grufft was dunckel
aufferwecket.

G e s a. Recht so! so büsst er auch was Buckingham
verbrach!

C r o m. Gab er dem Cantelberg nicht alle Boßheit nach?   720

G e s a. Hat Cantelberg nicht selbst / für seine Schuld
gelitten?

C r o m. Hat Carl sein eigen Land blutdürstig nicht
bestritten?

[393] G e s a. Ja! als es alle Schuld und Pflicht ihm
auffgesagt!

C r o m. Wer hat Jerne wol zum Auffruhr ausgetagt?

G e s a. Wer hat Jernes Zaum durch Straffords Beil
zuschnitten?   725

C r o m w. Liß Carl sein Krigs-Volck nicht durch alle
Gräntzen wütten?

G e s a. Hat eur entblöstes Schwerdt denn nirgends was
versehn?

C r o m. Er zog die Schwerdter aus! es ist durch ihn
geschehn!

G e s a n d. Wie daß man dann zu Wicht mit ihm begehrt zu
schlissen?

C r o m. Weit besser / daß der Schluß zu Wicht wird
abgerissen.*   730

G e s. Da er auff Statsrath Wortt und Vollmacht sich einließ!

C r o m. Da unsern Sig und Schweiß der Statsrath niderriß.

G e s a n d. Da aller Zwang und Zwist fast auff ein Ende
kommen.

C r o m. Vnd man die Frucht des Sigs uns aus der Faust
genommen.

---

719 *Buckingham:* George Villier, Herzog von Buckingham, Günstling
Jakobs I. und Karls I., geriet wegen seiner zwielichtigen Politik in
Gegensatz zum Parlament. Er wurde 1628 ermordet.

724 *ausgetaget:* aufgefordert.

729 *Wicht:* die Insel Wight.

G e s a n d. Was gibt man nicht gar offt umb Fridens willen
                                    nach?

C r o m. So schåtzt ihr unser Blut gleich einer Wasserbach?*

G e s. Wann man umb Friden dingt muß jder was
                                    verschmertzen.

C r o m. Der Vberwinder muß sein Vortheil nicht
                                    verschertzen.

G e s. Der Kőnig gab fast mehr als zu begehren nach.

C r o m. Gesetzt es sey! wer burgt vor diß was er
                                    versprach?*

G e s. Ihr habet ja sein Wort / und ihn in euren Hånden.

C r o m. Gefangne / wenn sie frey die åndern und
                                    verwenden.

G e s a n d. Gőnnt daß er sich erklår' und nemm't noch
                                    Bűrgschafft an.

C r o m. Sagt mir wer Lager / Land und Statt versichern
                                    kan?

G e s a. Mein Kőnig! rettet dich nicht dein unschuldig
                                    Leben!

C r o m. Auch Fromme kőnnen offt gar bőse Fűrsten geben.

G e s a. Dein unbefleckter Geist / dein keusches nűchtern
                                    seyn!

C r o m. Diß steht bey Fűrsten schlecht / man lobt es in
                                    gemein.

G e s a. Wer wird nach deinem Tod nicht Albion anspeyen?

C r o m. Was geht es ander an was Britten kan befreyen?*

G e s a. Wird unsre reine Lehr durch Kőnigs-Mord befleckt?

C r o m. Die reine Lehre wird durch dises Blut erweckt.

G e s. Vnd dűrffen wir noch Rom den Kőnigs-Mord
                                    verweisen!

C r o m. Sind keine Schotten mehr die solchen Richtstul
                                    preisen?

[394] G e s a. Låst GOtt / der Printzen GOtt / so grimme
                                    Blut-spil zu?

---

747 ›nűchtern seyn‹ ist substantivisch gebraucht.

C r o m. Der Vnterdruckten GOtt schafft durch diß Spil uns
Ruh!

G e s a. Der Himmel wacht ja selbst für dise die er
krönet!

C r o m. Vnd bricht den Thron entzwey der rechtes Recht
verhönet.

G e s a. Vergossen Königs Blut rufft Rach' und schreyt für
GOtt!

C r o m. So viler Britten Blut / wil Blut / wie GOtt gebott. 760

G e s a. Ein Erb-Fürst frevelt GOtt / GOtt hat nur Macht
zu straffen!

C r o m. GOtt führt sein Recht jtzt aus durch unterdrückter
Waffen.

G e s a. Heist dises Gottes Recht / wenn man das Recht
verkürtzt?

C r o m. Wenn trotze Tyranney den strengen Halß
abstürtzt?

G e s a. Man wegert ihm Gehör auff sein inständig Bitten!* 765

C r o m. Da / als er Ihm die Zeit zu hören selbst
verschnitten.

G e s a. So stirbt er unverhört zu Brittens höchster Schand?

C r o m. Warumb hat er die Zeit nicht besser angewandt.

G e s a. Wie? ist euch eine Stund / in diser Zeit so theuer?

C r o m. In einem Augenblick entbrent ein grosses Feuer! 770

G e s a. O! daß die Flamme nicht gantz Albion verzehr!

C r o m. Man lescht mit Königs Blut daß sie uns nicht
verher.

G e s. Denckt wie der Printzen Printz diß Blut hab offt
gerochen?

C r o m. Es geh nu wie es geh! Das Vrtheil ist gesprochen.

G e s. Was spricht der Höchste nicht auff diß Verbrechen
aus? 775

C r o m. Des Höchsten Außspruch trifft des Ertz-Tyrannen
Hauß.

766 *verschnitten:* abgeschnitten, verkürzt.

G e s a. Was kônt eur eigen Hauß in kůnfftig nicht
                                    entzůnden?
C r o m. Wir werden fůr den Brand auch kůnfftig Mittel
                                    finden.
Die Zeit verlaufft! bey mir nur ferner nicht gesucht /
Was ausser meiner Macht. Die Bitt ist sonder Frucht.
So wenig euch vergônnt den Grund der Welt zu spalten:
So wenig kônnt ihr heut das Richt-Beil hinterhalten /
Weil nichts mehr retten kan / nichts sag ich / glaubt es mir:
Es stůnde denn GOtt selbst und augenscheinlich hir.

[395]   *Hugo Peter. Cromwell.*

Wie? hat der Schott einmal das Ende finden kônnen!
C r o m. Ich wolt und môcht ihm mehr zu reden nicht
                                    vergônnen.
P e t. Der Catt ligt abermals dem Fairfax in dem Ohr.
C r o m. Noch eh der Schott abtrit / steht schon der Catt im
                                    Thor.
P e t. Man fahre schleunig fort / denn hilfft kein
                                    überlauffen.
C r o m. Schaff an! man fahre fort! Sind die beschickten
                                    Hauffen
Durch Gaß und Platz vertheilt? P e t. Mehr denn zu wol
                                    bestelt.
Der Port ist starck besetzt. Das Waffen-volle Feld
Erschreckt die bleiche Stadt. C r o m. Nun! keine Zeit
                                    verloren.
Man sagt es habe sich ein Hauffen hart verschworen /
Zu retten Stuards Kopff. Drumb nehmt das Schloß in acht.
Bewahrt das Traurgerůst / und handelt mit Bedacht.
P e t. Eh'r soll der Leib zustůckt auff lichter Glut
                                    verbrennen /
Eh soll man Fleisch von Fleisch und Glid von Glidern
                                    trennen:
Eh soll mein bluttend Haubt auff Londens Brůcken stehn:
Eh der verdammte Carl der Straffe soll entgehn.

Chor der Engellåndischen Frauen und Jungfrauen.

J u n g f.   Gůldnes Licht der Erden Wonne /
        Das den grossen Bau erhålt:
        Schmuck des Himmels / schônste Sonne.
        Wie daß nicht dein Glantz verfålt?
        Kanst du ob dem Greuel stehn?   805
        Wilst du nicht in Wolcken gehn?
        Vnd mit Donner-schwartzen Flecken:
        Dein bestůrtztes Antlitz decken?

F r a u.   Nacht komm in den Tag gezogen:
        Komm du ungeheure Nacht: 810
        Die aus Plutons Grufft geflogen
        Als des Frevels tolle Macht
[396]   Mit dem scharffgezuckten Schlag
        Auff Mariens Nacken lag.
        Komm die Foudrigen verhůllet /   815
        Als es seinen Grimm erfůllet.

J u n g f.   Phoebe lescht mit nassen Wangen
        Schon ihr silberzartes Licht.
        Dunst und Nebel hat umbfangen
        Der Astreen Angesicht.   820
        Nur Orion zuckt sein Schwerdt
        Auff der Britten Kirch und Herd
        Vnd Meduses Schlangen Zôpffe
        Treuffeln über unser Kôpffe.

F r a u.   Nein! wir wůndschen kein Verdecken /   825
        Die mit Våterlichem Blut
        Wollen Sonn und Tag beflecken.
        Diß erquickt den heissen Mutt!

---

817 *Phoebe:* griechische Göttin des Mondes.
820 *Astree:* Asträa, griechische Göttin der Gerechtigkeit; Sternbild der Jungfrau.
821 *Orion:* Jäger der griechischen Mythologie; Sternbild.
825 Ergänze am Ende der Zeile: (der Tat) ›derer‹.

Last uns sehn was nach uns schlågt?
Was uns auff die Baare trågt:
Wie das Wetter sich entzünde;
Wie man Eyd und Pflicht entbinde.

J u n g f. Printz! den Zeit und Ewikeiten
Den die Nach-Welt schon verehrt /
Laß dich auff den Mord-Platz leiten.
Wer dein letztes Seufftzen hôrt /
Wer den grossen Mutt betracht /
Vnd dein Antlitz nur beacht
Wird trotz allem Argwon schlissen
Dein unschuldig Blutvergissen.

F r a u. Printz! leid umb dich so vil Zeugen /
Als um diß Gerüste stehn
Daß wenn du dich hin wirst beugen
Brittens Heyl müss' untergehn.

[397]   Brittens Heyl das in dir lebt
Das sich wider sich erhebt /
Daß wenn du wirst nidersincken:
Wird inn deinem Blut ertrincken.

Die Virdte Abhandelung.

Carolus. Juxton. Thomlisson.

Fûrst / aller Fûrsten Fûrst! den wir nun sterbend grüssen /
Vor dem wir auff dem Knie das strenge Richt-Beil küssen /
Gib was mein letzter Wundsch noch von dir bitten kan:
Vnd stecke Carols Geist mit heil'gem Eyver an.
Entzünde diß Gemůt / das sich ergetzt zu tragen
Die Ehren-volle Schmach: das sich behertzt zu wagen
Fûr unterdrückte Kirch' / entzwey gesprengte Cron /
Vnd hoch-verfûhrtes Volck. Ihr die von eurem Thron

Mein Mordgerůst beschaut / schaut wie die Macht
verschwinde
Auff die ein Kônig pocht / schaut wie ich überwinde   10
In dem mein Zepter bricht. Die Erden stinckt uns an /
Der Himmel rufft uns ein. Wer also scheiden kan /
Verhônt den blassen Tod / und trotzt den Zwang der
Zeitten /
Vnd muß der Grůffte Recht großmůttig überschreitten /
Indem ein Vnterthan sein eigen Mord-Recht spinnt /   15
Vnd durch des Printzen Fall unendlich Leid gewinnt /
Das hâuffig schon erwacht: wer nach uns hir wird leben /
Wird zwischen heisser Angst und Todesfurchten
schweben /
Indem sich Land auff Land / und Stat auff Stadt
verhetzt /
Vnd Rath-Stul dem Altar und Tempel widersetzt /   20
Vnd diser / den verdruckt / der jenen aus wil heben /
Vnd dem der nach ihm schlâgt den letzten Hib wil geben.
Biß der / der wider uns den grimmen Schluß aussprach /
Der unser Regiment mit frecher Faust zubrach /
Geprest durch heisse Reu wird disen Tag verfluchen /   25
Vnd meine Tropffen Blut auff seiner Seelen suchen.
[398] Biß der / der sich erkühnt mein sauber Hertz
zuschmehn /
Von Blut und Thrânen naß / sich nach uns umb wird sehn.
Doch! wir bekrâncken diß. Vnd bitten; HErr verschone!
Laß nicht der Rache zu / daß sie dem Vnrecht lohne /   30
Das über uns geblitzt: ihr Kônig schilt sie frey!
Verstopff' ach HErr! dein Ohr vor ihrem Mord-Geschrey!
Was sagt uns Thomlisson? T h o m. Printz Carl / die Blum
der Helden /
Wil ihrer Majestât die treue Pflichtschuld melden /
Vnd schickt durch treue Leut' aus Catten diß Papir!   35

---

21 *verdruckt:* unterdrückt.
   ausheben: aus dem Sattel heben.
29 *bekrâncken:* nicht beachten.

C a r l. Mein hochbetrübter Printz! mein Sohn! wie fern
                                                            von dir!
Wie fern! wie fern von dir! J u x. Der Höchste wird
                                                    verbinden
Was diser Tag zureist. Mein Fürst wird ewig finden
Was Zeit und Vnfall raubt. C a r l. Recht! finden / und in
                                                              GOtt
Vnd durch GOtt wieder sehn / die ein betrübter Bot
Mit keiner Antwort Schrifft mehr von uns wird erquicken:
Ich muß die Trauer-Post an Freund' und Kinder schicken
Daß Carl itzund vergeh'. Nein! kan der untergehn
Der zu der Crone geht! der feste Carl wird stehn /
Wenn nun sein Cörper fällt / der Glantz der Eitelkeiten /
Der Erden leere Pracht / die strenge Noth der Zeiten
Vnd diß was sterblich heist / wird auff den Schauplatz
                                                        gehn /
Was unser eigen ist wird ewig mit uns stehn.
Was hält uns weiter auff! geh Thomlisson und schicke /
Dem Printzen seinen Briff so unversehrt zu rücke /
Als ihn die Faust empfing. Wir gehn die letzte Bahn!
Vnnötig daß ein Briff durch schmertzen vollen Wahn /
Durch jammerreiche Wort und neue Seelenhibe /
Vns aus geschöpffter Ruh' erweck' und mehr betrübe.
J u x. GOtt / in dem alles ruht / vermehre dise Ruh.
C a r l. Er thuts / und spricht dem Geist mit starckem
                                                    Beystand zu.
J u x. Sein Beystand stärckt in Angst ein unbefleckt
                                                    Gewissen.
C a r l. Daß der unschuldig lid / wusch durch sein
                                                Blut-vergissen.
[399] J u x. Der / was uns druckt / ertrug in letzter Sterbens
                                                            Noth.
C a r l. Vns drückt / diß glaubt uns fest / nichts mehr als
                                                Straffords Tod.

58 *Daß:* das (Relativpronomen mit Bezug auf ›Gewissen‹; ergänze: ›der-
jenige‹).

T h o m. Die Richter haben ihm die Hals-Straff aufferleget.

C a r l. Sein Vnschuld hat den Plitz auff unser Haubt
erreget.

T h o m. Der König gab den Mann durch Macht gezwungen
hin!

C a r l. Lernt nun / was diser Zwang uns bringe für Gewin.

T h o m. Der König must es thun / das tolle Volck zu
stillen /*   65

C a r l. Recht so / seht wie das Volck dem König itzt zu
willen.*

T h o m. Als Wentwort umb den Tod / den König selber
bat.*

C a r l. Seht was der König itzt dadurch erhalten hat /

T h o m. Man schloß vor aller Heil auff eines Manns
Verderben.

C a r l. Der dises schloß / ist hin / und wer nicht hin / wird
sterben.   70

T h o m. Dem Vrtheil fillen bey der Stats- und Kirchen
Rath.

C a r l. Verblümm't es / wie ihr woll't / es war ein' arge That.

J u x. Der Höchste wird die That der langen Reu verzeihen.

C a r l. Er wird von disem Blut uns durch sein Blut
befreyen.

Auff Geist! die Blut-Trompet / der harten Drommel Klang /   75
Der Waffen Mord-geknirsch rufft zu dem letzten Gang.

Carolus. C. Hacker. C. Thomlisson.
Juxton. Die Edelen.

H a c k. Mein Fürst! das raue Joch / darein die Zeit uns
zwinget /*

Die wider Will' und Wundsch uns disen Dinst auffdringet /
Erfordert ihn durch uns / und sonder weitter Frist /
Von dem bestürtzten Hoff' auffs letzte Traur-gerüst.   80

C a r l. Wir gehn! entsetzt euch nicht! wir sind bereit zu
leiden!

Vnd eilen aus der Angst der langen Qual zu scheiden /
Wer nach uns leben wird sol über unsre Pein
Vnd unsre Richter selbst / ein strenger Richter seyn.
Wenn grosser Fürsatz sich mit Macht nicht aus låst führen*
Muß in ein Schrecken-Bild sein Glantz sich nur verliren:
Denn wåchst mehr Müh' auff Müh' und wenig wird
                                                verbracht.
Wenn das gesteckte Zil den Sachen wird gemacht
[400] Erwarten hir und dar verlangens-volle Hauffen /
Ob den und wie das Werck zu Ende könne lauffen.
Was hat das weitte Land nun so vil Jahr begehrt?
Wer hat mit frembdem Zwang der Britten Heer beschwert?
Man hat / (und mit was Recht?) der siben Erndten toben /
Auff uns / die selbst verdruckt / und unsern Kopff
                                                geschoben /
Der sich nicht schuldig weiß. Wie? möcht es denn nicht seyn /
Daß man mit höchstem Fleiß griff allem Rasen ein?
Vnd håmm'te dise Flut? die ungehåmm't sich håuffet /
Vnd brausend über Land und Volck das Land ersåuffet /
Vnd überschwemmen wird / und war ein Mittel dar /
Das besser zu dem Zweck' als diser Handel war?
In welchem (wie es selbst dem Parlament gefallen)
Wir beyderseits bemüht dem Friden nach-zu wallen.
Diß Pflaster håtte Schmertz und Wunden stracks geheilt /
Wenn nicht ein sigend Heer uns in den Weg geeilt /
Ein Heer / das sich erkühnt (O Greuel außzusprechen!)
Mich Haubtfeind! mich Tyrann zu nennen / und zu brechen
Die mir verschworne Pflicht. Vrtheile nun die Welt
Ob ich mein offen Hertz nicht redlich vorgestellt:
Ob ich mich nicht erklårt auffrichtig zu vergönnen:
Was Freund / was Vnterthan / ja Feind! begehren können?
Doch nein! es ging nicht an bey dem der seine Macht
Vnd frechen Ehrgeitz mehr / denn aller Heil bedacht.

---

90 *den:* denn.
93 Der Bürgerkrieg hatte schon sieben Jahre gedauert. Bezug auf Pharaos
   Traum (1. Mose 41).

Mein schmacht- und sterbend Volck erquickte dises Hoffen:
Wie aber Ach! wie hat der Außgang eingetroffen?
Was aber klagt ihr an? vor ging ich wenig ein.   115
Itzt leider nur zu vil! und muß verdammet seyn!
Weil ich das Schwerdt entblöst / trug ich beschimpffte Bande:
Vnd nun ich Friden wil / laß ich den Kopff zu Pfande!
Habt ihr zum Fürsten mich und König nicht gekrönt?
Warumb denn werd' ich itzt mehr als ein Sclav' verhönt?   120
Ich könte Frau' und Kind in Wollust bey mir wissen:
Itzt muß ich Frau und Kind und Ruh' und Friden missen!
Mir schwur mein Vnterthan: itzt bin ich mehr denn Knecht!
Gebt Antwort! sprecht frey auß! sind eure Sachen recht;
[401] Klagt Carols Raths-Leut' an: ihr habt sie mir
                                             genommen: 125
Vnd nun kein treuer Mann mir darff vor Augen kommen
Nun ich mit GOtt allein / allein zu rathe geh:
Wen tadelt ihr bey mir? Ach! überhaufftes Weh!
Je mehr ich mich bemüht den Friden zu erjagen:
Je mehr seyd ihr bemüht mein Eyvern außzuschlagen.   130
Was wolt ihr denn von mir / wenn ihr euch nichts erklärt:
Ja wenn ihr selber nicht mehr wisst was ihr begehrt?
Denckt nach! ich forder euch und eur verstockt Gewissen:
Es zeug' ob ich mich nicht nach euren Wundsch beflissen?
Vnd da ichs falsch gemeint' so geh der Himmel an /   135
Vnd schicke seinen Blitz / so häfftig als er kan
Auff mein verdammtes Haubt. Da aber mein Bemühen
(Wie meine Seel außsagt!) ging zu des Landes blühen;
Warumb denn daß man mich in derer Klauen läst /
Die nur mein Blut begehrt? ob schon die scharffe Pest   140
Mit heilig-seyn sich schminckt / ob man mit Lämmer-Fellen
Den Wölffsbalg überzeuht; man kan sich nicht verstellen!
Diß sag ich rund: das nichts dem Friden widersteh:
Den derer Eigensinn / die / ringend nach der Höh /
Aus Knechten sich erkühnt / als Meister zu regiren /   145

115 *ging ein:* ging darauf ein, gab nach.
144 *Den:* denn, als.

Vnd in des Königs Thron den Pövel einzuführen.
Wer dise Gründ auffhebt / reist nur nicht alles ein:
Er muß des Vntergangs auch selbst gewärtig seyn.
Wer nach der Klinge greifft / muß durch die Kling'
                                                    auff-fligen:
Wer durch Tumult' auffsteigt: wird plötzlich unterligen.
Ein leichter Wetterhan verändert für und für
Vnd hass't den Wechsel selbst. Verkehrt er etwas hir:
So bricht er dort es ein / und kan durch thöricht Irren /
Nichts als / Sinn / Kirch / und Stat / und Stånd / und Reich
                                                    verwirren.
Biß ihn von disem Schein ein toller Haß abdringt /
Vnd er / durch Wahn getrotzt in tiffer' Elend springt.
   Ich weiß / daß nichts als Zeit / die Rotten auff kan heben:
In dessen greifft die Pest gantz Albion ans Leben
[402] Vnd steckt die Glider selbst mit scharffem Außsatz
                                                    an /
Daß kein halb faulend Aaß so grausam richen kan
Wenn sich der bange Stanck bey heissem Tag erhebet /
Vnd durch die schwere Lufft mit sichen Dünsten schwebet;
Vnd wie man selbst den Ort von disem Scheusall fleucht:
So wird / (wenn nun die Gifft durch manches Jahr
                                                    verzeucht)
Mein müdes Britten Land sich selbst voll Haß anspeyen /
Vnd wütten wider die / die man der That wird zeihen.
Noch eins / und diß zu letzt. GOtt! aller Printzen GOtt!
Mag Zeug und Richter seyn: daß ich biß in den Tod /
Daß ich ohn alles Falsch umb Friden mich bemühet.
Das ewigscheinend Aug daß in die Hertzen sihet /
Siht: daß ich so vil Recht von meinem Recht nachliß
Als mich in disem Werck mein rein Gewissen hiß.

147 *nur nicht:* nicht nur.
149 *auff-fligen:* umkommen.
156 *getrotzt:* trotzig geworden.
160 *Das:* (so) daß (Konj.).
161 *bange:* beängstigende.

Es siht / daß nichts das Licht / der wahren Fridens Sonne /
Der so in meinem Land durchaus verhofften Wonne /
In einem Nun verdeckt / als die verfluchte Wolck   175
Die ein auff seinen Printz mit Stahl gerüstet Volck
In diser Lufft erweckt. Lass't nun die Welt aussagen;
Ob einem Låger frey so grause That zu wagen!
Vnd wider Recht und Eyd dem Reich zu wider stehn.
Ja mit dem Reich und Recht und Freyheit durch zu gehn.   180
    Ein frembder Außgang muß auff solch Beginnen lauffen /
Der Thamm und Wall umbreist und låst das Land ersauffen.
Wenn Carl den Handel nur für seinen Kopff begehrt /
So håt es etwas Schein daß sich das Heer beschwert /
Nun selbst das Parlament / durch meistes Land bezwungen   185
Mich zu dem Fridens Werck hat beyderseits gedrungen;
Warumb werd' ich verdacht? daß ich mit Recht und GOtt
Ihn die nicht falsche Treu durch dise Faust anbott?
Ich zweiffel ferner nicht / der Nebell sey verschwunden /
Vnd aller wachsamb Aug und Hertz hab itzt gefunden /   190
Wer die gewündschte Ruh' in Albion verletzt:
Vnd das bestürtzte Land in neuen Brand gesetzt.
Es weiß der alles weiß / daß mich mein Leyd nicht kråncke:
(Mir fållt kein Angst zu schwer!) wenn ich mein Volck
                                          bedencke
[403] Zutreufft mein Hertz in Blut / sein Elend greifft mich
                                          an!   195
Mein Volck / das sich nicht selbst als ich mich trösten kan.
GOtt stårcke sie und mich nach unsers Trübsals Grösse /
Vnd mehre die Geduld als tiff die Hertzens Stösse.
Ich / nun der Feinde Rach' ihr Garn hat abgewebt /
Bin mehr bereit den Leib / der nur zu vil gelebt /   200
Bin mehr bereit die Cron / und Geist zu übergeben /
Als sie behertzt ihr Beil itzt auff mich auffzuheben.
Mein sterbend Antlitz siht das sich der Himmel fårb'
Vnd schwanger geh mit Glutt und in dem Blitz verderb'

188 *Ihn:* Ihnen.
199 *nun:* nachdem nun.

(In dem die Rach' abtreufft in dicker Wetter Regen)
Die hochverdammte Schar die mit entblôstem Degen
Dem Friden widersteht. Denn wie er Segen gibt
Dem / der gerechten Frid' erhält und Friden libt:
So muß sein heisser Fluch auff derer Seelen brennen
Die Krig und Blut erquickt. GOtt lâst mich itzt erkennen;
Daß er mich gegen sie und ihren Grimm bewehrt.
Kommt! Carl ist unverzagt! entblôst das tolle Schwerdt!
Last die vergifften Pfeil auff unser Hertz abfligen!
Die Brust ist wol verwahrt! Carl wird nicht unterligen!
GOtt ist mein Fels und Schild! was geht uns weiter an /
Was ein verstockter Mensch auff mich beschlissen kan?

   Du vorhin mein Palast! itzt deines Kônigs Kercker!
Mit Seufftzen itzt / vorhin mit Wonn' erfüllter Aercker!
Ihr / die ihr vil zu klein zu Carols hôchster Pracht /
Weil uns der Himmel rufft. Ich scheide! gutte Nacht!

   Komm Wentworts werthe Seel! ich wil den Frevel büssen!
Ich wil wie du den Tod: ich wil das Mord-Beil küssen!
Erlôser blick' uns an! Erlôser! Ach verzeih!
Erlôser nimm' uns auff! Erlôser steh uns bey!

Hugo Peter allein.

Nunmehr hab ich genung das Elend hir gebauet;*
Nach dem mein Augen / HErr! den schônen Tag geschauet.
[404] Vergônne wenn du wilst daß ich im Frid hinfahr!
Man fûhrt den Wûterich zu seiner Todten-Baar.
Der Barrabas verfâlt! und muß die Schuld zu büssen /
Durch den verfluchten Tod sein grausam Leben schlissen.
Dein Allmacht spûr ich / HErr! wûrckt itzt zu unserm Heil /
Vnd waffnet Straff und Rach mit dem gerechten Beil.
Du gibst der Heilgen Schar Macht Kônige zu binden;
Vnd Ed'len in die Kett' und Fessel einzuwinden.
Wer hat es je vermeint? das Licht zilt auff den Tag /
Ja bildet deutlich ab / wie nach dem letzten Schlag

233 *Heilgen:* Independenten.

Der dise Welt in Grauß in einem Nun wird legen;
Wir werden über Reich und König Vrtheil hegen /
Vnd richten was sich / GOtt / je wider dich verschwor /
Vnd irrd'scher Gôtter Stul vor deinen Thron erkohr.   240
Man eilt! ich muß voran! eh wolt ich tausend Leben
Auffsetzen / als mich itzt des Wunderblicks begeben /
Des Wunderblicks / nach dem ich nichts zu schaun begehr.
Was hat die Welt / daß sie nach dem zu schaun gewehr?

Fairfaxen Gemahlin. Ein Edelknabe.

Der Feldherr (was ich auch gesucht) ist nicht zu finden.*   245
G e m. Gerechter Gott! Ach! soll mein Hoffen so
                              verschwinden?
Wie stehts umb Jacobs Hoff? E d e l k. Man rennt zu Fuß
                              und Roß.
Man führt den König gleich fort nach dem weissen Schloß.
G e m. Ach! sag an / wessen Heer zu dem Geleit erkohren;
E d e l k. Huncks / Axels / Hackers / Phrays. G e m. Ach!
                              alles ist verlohren!   250
Stracks nim den besten Hengst / renn' und komm nicht zu
                              mir;
Du bringst mein Ehgemahl dann auff mein Wort mit dir.

Fairfaxen Gemahlin. I. Obriste.

Ist diß gegebne Treu! ist diß sein hoch Versprechen?
Scheut Fairfax sich nicht Wort und hohen Schwur zu
                              brechen?
Wo ist die erste Glutt / der hart verknüpfte Bund?   255
Bin ichs / die stets vorhin in seinem Hertzen stund?
[405] Ehrloser pflegst du so mit Hand und Eyd zu
                              schertzen?

---

242 *Auffsetzen:* aufs Spiel setzen.
247 *Jacobs Hoff:* St. James' Palace.
248 *weissen Schloß:* Whitehall.

Verstehst du nicht was Ruhm? vergist du meiner
                         Schmertzen?
Wie? oder windet Furcht das Glück aus deiner Faust?
Vnd bebst du nicht vor dem ob dem der Erden graust?
Hast du die Helden nicht die sich mit mir verbunden;
Wol zu der That gesinnt und nicht bereit gefunden?
Warumb verbirgst du mir Vntreuer dein Gesicht?
So ists! wer Arges denckt / wer schuldig; scheut das Licht.
O Himmel! was beklemmt mir die gepresten Sinnen!
Ich fühle daß mir Krafft und Seele wil zerrinnen.
Die Brust klopfft. Schau ich den / der neulichst mir verhiß
Was er / O Schand / O Schmach! heut' unterwegen liß?
I. O b r. Man schreib es mir nicht zu das Fairfax nicht
                         erbeten.
G e m. Der Muts und Eyvers voll schwur mit euch
                         umbzutreten.
I. O b r. Hat sie ihn / wie ich hör / auff ihre Meinung
                         bracht?
G e m. Vollkommen / gestern spät' und eh der Tag erwacht.
I. O b. Hilff Gott! wie daß er sich denn nicht heut' uns
                         erklähret.
G e m. Wie / daß ihr nicht vollführt was er an euch
                         begehret?
I. O b r. Wir stunden beyde ja zu seinem Dinst bereit.
G e m. Wie das so ruchloß dann verschertzt die schönste
                         Zeit?
I. O b r. Ach leider! ach ich spür' es / was von uns versehen!
G e m. Es ist umb ihn und euch und Carols Haubt
                         geschehen.
I. O b r. O kaum erhörter Fall! O Irrthum sonder gleich.
G e m. Welch Irrthum? fördert diß den ungeheuren Streich?
I. O b r. Er hat uns seinen Schluß zu dunckel vorgetragen.
G e m. Warumb erkühnt ihr euch nicht ihn umb Licht zu
                         fragen?
I. O b r. Sein Sorgenvoll Gesicht schloß (dünckt mich)
                         unsern Mund.

G e m. Er sorgte; weil ihr ihm verhölt des Hertzens
Grund.

I. O b r. Ach daß sie nicht vorhin das minst uns liß
entdecken!   285

G e m. Mein Vorsatz war / durchauß nicht Argwohn zu
erwecken.

I. O b r. O Vnfall der uns auch mit seinem Blutt
bespritzt!

G e m. O Stral! der meine Seel' auffs schärffst' unheilsam
ritzt!

I. O b r. Carl felt durch jener Spruch; und stirbt durch
unser Schweigen.

G e m. Solt ich / mein Fürst! vor dich / auffs Mordgerüste
steigen!   290

[406] O König! Ach wo bleibt mein Ehgemahl? I. O b.
Nur Mutt!

Er sucht die Stunde noch zu retten Carols Blutt.

G e m. Wo ist er? I. O b. Er ist gleich / auff der Gesandten
bitten;

Vmb etwas Auffschub / nach West-Münster fort geritten.

G e m. Auff! folgt! wo Rettung ist; eilt! steht ihm an der
Hand!   295

Entfernt von mir und euch die unerhörte Schand!

Behertzt das schwere Stück! I. O b. Ich eil. G e m. Ohn
Zeit verliren.

HErr! aller Götter GOtt: Laß deinen Beystand spüren!

Bewege Rath und Volck. Beschirme mein Gemahl /

Wo nicht; so reiß mich bald / weg vor des Königs Qual.   300

Chor der Religion und der Ketzer.

R e l i g. HErr dem ein reines Hertz / und das sich dir
ergeben /

Vnd das dich einig ehrt und einig libt / gefält;

Der du durch Seelen sihst / dem auch was todt muß leben!

Warumb verbannst du mich auff die verdammte Welt?

Warumb doch wohn' ich hir in Mittel grimmer Drachen?
   Vnd schlage mein Gezelt bey Mesechs Hůtten auff?
Wie lange sol ich noch bey Kedar Låger machen?
   Wie lange schwitz ich Blut bey toller Leuen Hauff?
Ach Richter! der durchsiht auch die verdeckten Niren?
   Wie lange soll ich noch der Schalckheit Deckel seyn?
Wie lange låst durch mich der Pôvel sich verführen?
   Vnd geht was Boßheit schleust in meinem Namen ein?
Wer itzt die Wehr ergreifft: ergreifft sie mich zu schützen:
   So spricht er / und steckt Land und Kirchen selber an.
Wenn Zwang / wenn eigen Sinn / wenn Auffruhr nicht wil
                       nützen;
   Deckt sie mein Nam / und Kleid auff den man pochen
                       kan.
Wer seinen tollen Traum nicht darff zu marckte bringen:
   Schminckt ihn mit meiner Tracht und seet Haß und Streit.
Wenn das entdeckte Schwerdt nicht kan die Vôlcker zwingen
   Bricht durch mein Ebenbild die Rachgier Bund und Eyd.
[407] Wer frey ohn alle Scham / ohn alle Furcht wil leben
   Vnd was die Kirch einsetzt mit trotzem Fuß zutrit:
Entschuldigt sich mit mir / wer Printzen aus wil heben
   Vnd Cronen niderdruckt / bringt meine Larve mit.
Sol ich der Britten Mord auch disen Tag beschônen?
   Vnd mit der Fackeln Licht benebeln Carles Tod?
Mein Bråutgam / laß so fern nicht deine Braut verhônen.
   Weil ich unschůldig bin ans Kônigs herber Noth.
Ihr Wolcken brecht entzwey! ich muß den Ort gesegnen
   Der mich vor ein Gespenst und Buben-Larven hålt.

305 *in Mittel:* inmitten.
306 f. *Mesech, Kedar:* zwei in Ps. 120, 5 genannte Stämme, die hier
    fremde, barbarische Völker repräsentieren (Palm).
308 Anspielung auf Daniel in der Löwengrube.
309 *verdeckte Niren:* Nieren, Herz und Leber wurden als Sitz der
    Leidenschaften angesehen (Powell).
319 *entdeckte:* bloße, aus der Scheide gezogene.
323 *ausheben:* entthronen.
327 *fern:* weit, sehr.

Denckt Menschen! was euch wird in meinem Schein
begegnen:
Ist Rauch und Dunst und Trug! wir scheiden aus der Welt.
D i e K e t z e r. I. Halt Schönste! halt! warumb fleuchst
du von mir?
I I. Ich halte dich O meine gröste Zir!
I I I. Sie selbst ist hin! du hast ein leres Kleidt!   335
I I. Doch bleibt es mein! I V. Vmbsonst ist diser Streit
Mir kompt es zu. I. Ich wil es selber gantz.
V. Es reist entzwey. V I. Gib acht auff deine Schantz.
Das Kleid ist mein. V I I. Vnd mein. V I I I. Vnd mein.
I X. Vnd mein.
V I. Es muß nicht dein und auch nicht dessen seyn!   340

Die Religion aus den Wolcken.

Geht! geht! und schmückt euch aus mit meines Mantels
stücken!
Ein reines Hertz läst sich durch dise nicht erquicken!
Es sucht und findet mich in GOtt der Warheit ist.
Vnd der ein reines Hertz zum Wohnhauß ihm erkist.

Die Fünffte Abhandelung.

Hoffemeister des Churfürsten. Der Erste Graffe.

H o f f m. So läst der rauhe Grimm der Hunde sich nicht
hämmen.
G r a f f. Die Sturmwell ist numehr durch Mittel nicht zu
tämmen.
[408] Die Flut reist überhin / wie wenn das Land versenckt.
Vnd Wisen / Vih' und Hirt in einem Nun ertränckt.
H o f f m. Ist denn nur Stuards Hauß zu disem Fall
erkoren?   5

---

338 *Schantz:* Chance, Vorteil.

Hat auff den Stamm allein sich alle Noth verschworen.
Vnd geht was auff dem Thron nicht kan beständig seyn:
Nur durch Verrähter / Gifft und scharffe Mord-Beil ein?
G r a f f. Der unverhoffte Fall der ungewissen Sachen
Kan offt aus Printzen Knecht / aus Knechten Fürsten
                                    machen:
Die Eos früh in Gold auff ihrem Stul anlacht:
Sind eh der Abend dar in frembde Kercker bracht.
Doch niemals hat die Zeit so rauhes Stück gezeiget:
Kein König hat so tiff sich offentlich geneiget:
Ach Himmel! greifft ihr selbst dem tollen Wütten ein!
Laß diß den Fürsten nur ein Schau- nicht Vor-Spil seyn!
H o f f m. Wie haben Catt und Schott den rauhen Schlag
                                    empfunden?
G r a f f. Ich habe den bethränt und hochbestürtzt
                                    gefunden!
Er hat mit wahrer Treu den höchsten Fleiß gewagt
Vnd es den Mördern dürr ins Antlitz ausgesagt /
Wie schwer der Frevel sey. Er hat durch ernste Schreiben
Sich euserstes bemüht den Streich zu hintertreiben;
Doch hat man weder Ihn noch Catten groß geacht;
Die wie es schin / zum Schein nur / zur Verhöre bracht.
Eh' als das Parlament die Catten hat erlassen;
Liff schon das Vnterhauß durch die zertheilten Gassen.
Vnd that durch dises Stück ihn augenscheinlich dar /
Wie angenehm die Bitt und die Gesandschafft war.
Doch sind sie noch bemüht die Mörder zu erweichen.
H o f f m. Man wird den Himmel eh mit einer Faust
                                    erreichen.
Der ist umbsonst bemüht und bittet sonder Frucht:
Der in dem höchsten Durst bey Flammen Wasser sucht.
G r a f f. Es blickt nur mehr denn vil! man eilt das Spill zu
                                    schlissen /

11 *Eos:* griechische Göttin der Morgenröte.
25 *erlassen:* entlassen, und zwar die zwei holländischen Gesandten.
27 *ihn:* ihnen.

Vnd das gerechte Blut des Königs zu vergissen /
Vnd theilt durch Gaß und Gaß das angefrischte Heer.   35
Die Plätze sind besetzt mit schütterndem Gewehr
[409] Die Stadt wird umb und umb mit blossem Staahl
                              umbgeben /
Man siht auff weitem Feld als schwartze Wolcken schweben /
Der Reuter leichte Schar. So hitzt das Land sich an;
Wenn ein getrotzter Feind / dem nichts entkommen kan /   40
Mit Schwerdt und Flamme pocht. H o f f m. Das zitternde
                              Gewissen;
Schreckt die sich vor sich selbst bestürtzt entsetzen müssen.
Wie geht der grosse Fürst entgegen seiner Noth?
G r a f f. Mit unerschrecktem Mutt. Er höhnt den blassen
                              Tod /
Verlacht den Vbermutt der rasenden Soldaten /*   45
Die mit gehäuffter Schmach / o grause Missethaten!
Bestürmen sein Gemütt / daß als ein Pfeiler steht
Wenn schon ein leichtes Dach durch lichten Brand eingeht.
Man quält sein Einsamkeit mit ungeschickten Fragen.
Schmaucht mit dem Rauch / den er von Art nicht kan
                              vertragen /   50
Wirfft Dampffröhr' auff den Gang durch den er wandeln
                              muß /
Man sucht Ihn / wie man kan / zu reitzen zu Verdruß.
Vmbsonst! der grosse Geist läst durch so schnöde Sachen
Von der gefasten Ruh sich nicht abwendig machen.
Ich schreck' / ein toller Bub spie in sein Angesicht.*   55
Vnd blärrt ihn grimmig an. Er schweigt und acht es nicht.
Ja schätzt es ihm vor Ruhm dem Fürsten gleich zu werden;
Der nichts denn Spott und Creutz und Speichel fand auf
                              Erden
Er bringt die enge Frist in heisser Andacht zu /
Er preist was auch die Hand des Höchsten mit Ihm thu /   60
Vnd freut mit Juxton sich daß sein Erretter lebe /*
Der auch was unterdruckt aus Asch und Staub erhebe.
Der Bischoff stellt ihm vor den übergrossen Tag*

An welchem Gott was hir so tiff verborgen lag /
Durch JEsum richten wird. Er brandt in heilgem Sehnen;
In dem / wer umb Ihn stund / benetzt mit bittern Thränen
Ob seiner Andacht starrt. Biß man bey naher Nacht
Ihm Vorschläg' / artig / durch der Haubtleut' Ausschuß
                                 bracht.*
Auff welchen / da Er sie durchaus beliben wolte;
Ob wol durch Noth gepreßt / sein Heil bestehen solte.
[410] Kaum hat er diß Papir mit Vnlust übersehn
Als er es von sich gab. Diß müsse nicht geschehn /
Was (sprach Er) wider Statt / und Gottsdinst und
                             Gesetze /
Vnd Freyheit meines Volcks; wie vil man Beil auch wetze!
Ihr / warumb kränckt ihr doch mein abgeplagte Seel?
Vnd quält mit Worten mich fast bey des Grabes Höll?
Warumb bemüht ihr euch zu zwingen mein Gewissen?
Ists nicht genung daß ich Fleisch Blut und Hals sol missen?
Glaubts: eh ich Christus Kirch und das gemeine best /
Vor die der Höchste mich so würdig binden läst /
So fern betrüben wil; Eh meinen Vnterthanen
Ich durch mein Vorspill wil den Weg zu Jammer bahnen
Vnd ihre Freyheit / Statt / Gewissen / Gutt und Geist
Bewehrter Auffruhr (ob sie schon itzt herrlich gleist)
Gantz unter frechen Zwang und tolle Macht hingeben:
So wil ich liber selbst (und hätt ich tausend Leben)
Vor ihre Sicherheit und Freyheit Schlüß und Recht
Hinfahren / ja ich wil auffrichtig rein und schlecht /
Vor dises niderknyen. Ihr / (könt ihr noch was hören)
Entsetzt euch vor dem Schwerdt / es sind des Herren Lehren:
Zorn bringt des Schwerdtes Straff'. Vnd wißt; daß / ob ihr
                             frey /
Dennoch ein Vrtheil noch vor euch verhanden sey.
Diß sprach Er / und entschlug sich ferner aller Sachen
Der schnöden Sterblikeit. Die muntern Sinnen wachen /

76 *Höll:* Höhle.

Ob schon sein müdes Haubt in kurtzes Schlummern fält. 95
Die Seel ist schon bey Gott: Der Leib nur in der Welt.
Er tritt was eitel ist mit unverwandten Füssen.
Als dises Licht sich fand die trübe Welt zu grüssen
Fand sich ein neues Licht in den durchläuchten Mutt.
Er forderte das Pfand / das der / der durch sein Blutt 100
Der Menschen Schuld abwusch zum Denckmal seiner
                          Schmertzen
Vnd Zeichen theurer Huld liß den gekränckten Hertzen.
Man höre was sich hir / Verwundrungs wehrt / zutrug;
Als Juxton zu dem Werck das Kirchenbuch auffschlug /*
Das Kirchenbuch / umb daß der Fürst so vil gelitten / 105
Vmb das ihn Engelland und Calidon bestritten
[411] Fand sich daß gleich auff heut die Haubt-Geschicht
                          gesetzt /
Die / wie der Fürsten Fürst durch eigen Volck verletzt
Vor seinem Richter stund / wie er von Geissel Streichen /
Vnd scharffen Dornen wund must an dem Creutz
                          erbleichen 110
Der Christen Volck erzehlt / die uns Matthaeus schrib.
Der König der hirauff fast in Gedancken blib
Als ob zu seinem Trost der Bischoff sie erkohren /
Erfreute sich im Geist und schin recht neu gebohren;
Als Juxton ihm das Blatt vor sein Gesichte legt / 115
Vnd zeigte daß man diß heut abzulesen pflegt.
Er schöpffte wahre Lust / daß JEsus durch sein Leiden
Sich fast den Tag mit ihm gewürdigt abzuscheiden.
Sein Geist / in dem er sich auffs neu mit Gott verband /
Schin mehr erquickt zu seyn. Doch diß beschwerte Land 120
Lag Ihm noch auff der Brust. Er bat für diser Leben /
Die seinen Tod begehrt / und die das Beil auffheben
Auff sein nicht schuldig Haubt. Biß daß die Mord-Schar kam
Vnd ihn von Jacobs Hoff weg / in ihr Mittel nam.

---

98 Metapher für: Bei Anbruch des heutigen Tages.
111 *die:* Relativpronomen mit Bezug auf ›Haubt-Geschicht‹ (107).
112 *fast:* sehr, tief.

H o f f m. Wenn ist ihr Grimm bedacht den Frevel
                                     auszuführen?
G r a f f. Ihr Wütten lässet sie nicht lange Zeit verliren.
Man eilt nach Withall zu / da die bestürtzte Welt /
Ob disem Vntergang sich umb den Schauplatz stelt.
Da steht das Blutgerüst. Das ob es schwartz bezogen /
Noch nicht so schwartz als die / die Printz und GOtt
                                     gelogen.
Auff diser Bün' erscheint das grause Schlacht-Altar
Mit dem verfluchten Beil. H o f f m. Was spricht die grosse
                                     Schar /
Die umb den Hoff sich dringt? G r a f f. Ein Theil steht
                                     gantz verzaget
Bestürtzt / und als erstarrt. Vnd weiß nicht was es fraget
Vnd wehn es fragen soll. Ein Theil siht in die Höh
Vnd wündscht daß Hoff und Stadt und Hencker untergeh.
Noch sind / hilff grosser GOtt / bey so betrübten Sachen;
Die ob dem Greuel-Werck / die Seele lustig machen /
Die den verstockten Geist beschmitzen mit dem Blutt /
Vnd binden über sich ein ungeheurer Rutt.
[412] Das zartere Geschlecht das häuffig wil erscheinen /
Vnd durch die Fenster dringt: Ist mehr behertzt zu weinen /
Vnd winselt überlaut. Die drückt ihr thränend Kind
An die entblöste Brust / die wirfft die Haar in Wind /
Die klagt den Himmel an / die fürcht sich diß zu schauen
Daß sie doch schauen wil / die heist auff Gott vertrauen
Vnd glaubt / daß (ob sie Beil und Richtklotz gleich erkänt:)
Doch zwischen Beil und Klotz sich offt das Spil verwändt:
H o f f m. Wer wil nun rechte Treu in wilden Inseln suchen?*
Wer wird besteintes Land nicht deinen Strand verfluchen?
Was hält uns in dem Nest der tollen Mord-Schar auff!
Eilt Deutschen auff die Reiß! alsbald den ersten Lauff
Der strenge Nordwind wil dem starcken Ruder gönnen
Vnd man am Deutschen Port wird Segel streichen können:

140 ›sich eine Rute aufbinden‹: etwas Unangenehmes auf sich nehmen.
152 *alsbald:* sobald.

Ist unser Wundsch: von hir. Wer / wo der Fluch einbricht /   155
Noch lange Zelt' auffschlegt; entweicht der Straffe nicht.

Poleh.

Komt rasend mit halb zurissenen Kleidern und einem
Stock in der Hand auff den Schau-platz
gelauffen.

Vmbsonst! weicht! es ist aus! rennt hir ist nichts zu hoffen!
Was sucht man? Last mich loß! der Grund reist! Styx ist
offen!
Geschehn! es ist geschehn! mein König! nicht umb dich:
Nein! nein! ach leider nein! es ist geschehn umb mich!   160
Du stirbst ohn Schuld; und ich leb' allem Recht zu wider!
Brecht Felsen! Himmel blitz' auff die verfluchten Glider!
Wie (a) druckt mich Carols Blutt / das noch vertriffen soll!
Wie pocht mein brennend Hertz! und Stuard dir ist woll!
O was! warumb hab ich! wie hab ich mich erkühnet'   165
Was hab ich nicht vor Straff / und Strang / und Glutt
verdinet?
[413] Ach leider! fil ich bey dem tollen Hals-gericht!
Ach weh! wer komt mir dort so bluttig vor Gesicht?
Was Feure rauchen hir? was schwirren (b) dort vor Ketten?
Wer wil mich gegen mir in solcher Angst vertretten?   170
Halt auff! halt! halt! ein Heer daß man die Drommel rühr!
Der König kommt gerüst! daß man die Stück aufführr!
Trompet und Picquen fort! gebt Losung! last uns stehen!
Dringt an! last uns dem Feind hir unter Augen gehen!
Trarara! Trarara / Tra / tra / tra / ra / ra / ra! (c)   175
Tra trara (d) paff / paff / puff! paff! Ist der Feldherr nah?

(a) Er schlägt auff die Brust.
(b) Er stellet sich als höret er etwas von fern.
(c) Er geberdet sich mit dem Stock als einer Trompeten.
(d) Als mit einem Feur-Rohr.
158 *Styx:* in der griechischen Mythologie Fluß in der Unterwelt.
170 *vertretten:* verteidigen.
172 *Stück:* Kanonen.

Paff / paff! der Hauffe fleucht! der König wird geschlagen!
Last / last uns (stehn wir noch?) erhitzten Mutts nachjagen!
Wo steckt / wo kommt er hin? was schau ich? er verschwind.
Wie wird mir? ists ein Traum? Ja Träume / Dunst und Wind
Bestreiten leider mich / und mein verletzt Gewissen.
Mein Hertz wird lebend noch in diser Brust zurissen.
Verflucht sey dise Stund' in der ich mich erklehrt
Vor dich / du Mord-schar! ach! ach das ein rasend Schwerdt
Die Lufft-Röhr mir zu schlitzt / eh ihr mich angehöret!
Ach daß der schnelle Blitz mich Himmel ab versehret;
Eh ich / Verräther / mich zu euren Rotten gab!
Ach daß die lichte Glutt! ach daß ein scheußlich Grab
Mich lebend eingeschluckt / eh ich mich liß verführen!
Kom Angst / so groß du bist! laß / weil ich hir / mich spüren
Was unter irrdsche Qual / die dort die Geister nagt /
Die in dem Schwefel-Pful verzweifelnd Rasen plagt.
Weh mir! was schau ich dort? weh mir! die Rach (e)
                                        erscheinet!
Der Straffen Wetter blitzt! heult Richter! Mörder weinet!
[414] Wehn schleifft man? Carew dich? Wer hengt hir?
                                        Horrison?
Wie Hugo? fällst du auch in den verdinten Hohn?
Wie zittert noch dein Hertz in grauser Hencker Händen?
Wo wird man deinen Kopff / wo die vir Stück hinsenden?
In die man dich vertheilt. Hir brennt dein Eingeweid.
Leid' Hewlet / dessen Faust den Blutt-Kelch voll von Neid /
Dem König hat gewehrt! (f) die müden Augen starren!
Last uns / ihr Richter / nicht die grausen Tag' erharren!
Eilt mit mir in die Grufft / wofern des Lebens Zil

(e) Vnter disen Worten öffnet sich der innere Schau-Platz / und stellet
die Virtheilung des Hugo Peters und Hewleds vor.
(f) Der Schau-platz schleust sich.
184 *das:* daß (Konj.).
195 *Carew:* Sir Alexander Carew, hingerichtet, weil er versucht hatte,
die Stadt Plymouth an die Royalisten zu verraten.
   Horrison: Oberst Thomas Harrison, einer der Richter Karls.
201 *gewehrt:* gewährt.

Sich biß dorthin erstreckt / wofern dem Jammer-spil
Der Tod euch nicht entzeucht; so sucht auff fernem Sande 205
Ein sicher Wohnhauß! Ach! sagt an / in welchem Lande
Man nicht die grause Thurst einstimmig schon verfluch?
Da euch die Rache nicht mit Band und Dolchen such?
Steig Dorislaer vermumt mit auff das Traur-Gerüste!*
Vermumte stossen dir die Klingen durch die Brüste. 210
Rent in neu Albion; der Seuchen grimme Schar /
Verfolgt euch Abgekränckt' auff eure Todten Bar! (g)
Welch scheußlich Anblick! hir prangt Cromwels blasse Leiche
Nechst Irretons Gerripp' an einer Galgen Eiche.
Fort! gönnt dem Bradshaw nicht die sichre Nacht der
              Grufft! 215
Henckt ihn zu einem Schand- und Schau-Spil in die Lufft!
So must ihr in dem Port den Port der Ruhe missen!
So heist das strenge Recht die festen Särg entschlissen!
Worzu mit Specerey die Glider eingehüllt?
Würd' anders nicht an euch der Schluß der Rach' erfüllt? (h) 220
Nein! nein! last weils noch Zeit uns disem Sturm
              entweichen!
Mich sol der ferne Schlag der Donner nicht erreichen.
Du / der du über uns mit hellen Augen wachst;
Vnd durch die schwartze Lufft mit glantzen Schlägen
              krachst!
[415] Du / der du unter uns die grimsten Vrtheil hegest; 225
Vnd die Verächter stets mit schärffster Qual belegest:

(g) Der Schau-platz öffnet sich zu dem andernmal / und stellet Cromwels / Irretons und Bradshaws Leichen an dem Galgen vor.
(h) Der Schau-platz schleust sich.
207 *Thurst:* Verwegenheit, Kühnheit.
209 *Dorislaer:* Isaac Dorislaus, englisch-holländischer Jurist und Diplo-
    mat, der an der Abfassung der Klageschrift gegen Karl beteiligt war.
    Er wurde später von Royalisten im Haag ermordet.
214 *Irreton:* Henry Ireton, General und Schwiegersohn Cromwells. Er
    starb 1651 eines natürlichen Todes; die Überreste seines Körpers wur-
    den jedoch 1661 auf Befehl des englischen Unterhauses (House of
    Commons) neben den Leichen von Cromwell, Bradshaw und Pride
    aufgehängt.

Seidt Zeugen / daß ich nicht der rauen Straffen acht.
Der Welt nur bin ich gram; die Erd ist mir verdacht.
Diß Leben schmertzt mich mehr denn ein unendlich Sterben.
Glaubt imand was es sey in solcher Angst verderben?
Vnd such ich dennoch nicht ein Ende diser Noth?
(i) Wo? wie? was schau ich dort? setzt der gerechte Gott /
Den Fürsten wider ein / nach so vil herben Stürmen?
Ach freylich! Gottes Hand pflegt Götter zu beschirmen!
Wehn crônt der Bischoff? Wie? Wehm schwert man? seh ich
                                                    recht?
Erwürgter frommer Fürst! dich oder dein Geschlecht?
(k) Worzu nunmehr bißher mit Mord und Schwerdt getobet.
Vnd Freyheit unverschämt in strengem Dinst gelobet?
Wer folgt? Wer sprützet mir Bluts-tropfen ins Gesicht?
Weh mir! wo rett ich mich? der unt're Kercker bricht!
Die Tems brennt Schwefel-blau! ich schau die Sonne zittert!
Der Tag verschwartzt! die Burg / (l) ja Londen wird
                                                    erschüttert!
Von hir! was hab ich / Ach was Laud mit dir zu thun?
Kanst du / zu meiner Straff in deiner Grufft nicht ruhn?
Armselger (m) Wentwort! Ach! du hast durch unser wütten /
Ein unverdinte Straff' (ich steh es zu) erlitten!
Was suchst du ferner? Ach! Ach Geister tragt Geduld!
Hab ich an eurem Tod denn nur alleine Schuld?
Vnd fordert ihr allein eur Blutt von meinen Händen?
Ertzbischoff / seufftze nicht! ich wil das Traur-spil enden (n)
[416] Laß Wentwort / laß mich gehn! warumb vertrit man
                                                    mir /

(i) Der Schau-platz öffnet sich zu dem drittenmal / und stellet vor wie
der Bischoff / Carlen den II. krônet.
(k) Der Schau-platz schleust sich.
(l) Laud erscheinet zu Ende des Schau-platzes.
(m) Wentwort erscheinet auff der andern Seiten.
(n) Wentwort vertritt ihn auff der einen Seiten / auff der andern Laud
den Außgang.
228 *verdacht:* verdächtig.
240 *der unt're Kercker:* das Grab.

(Erzürnte Geister!) dort und dar die freye Thür?
Last! last mich offnen Weg zu eurer Rache finden;
Last / Wentwort / Mittel mich zu meiner Straff ergründen.
Ists müglich daß ihr noch umb mich Verfluchten schwebt?   255
Vnd euch aus eurer Lust / nur mir zur Angst begebt?
Nein Bischoff! Nein! du bist zu selig nur verschiden.
Nein Wentwort! Nein! du ruhst in unbewegten Friden! (o)
Mein' Hertzens Angst vermumt sich nur zu meiner Pein;
Erfreute Geister / ach! in euren Todtenschein.   260

> *Der König. Juxton. Thomlisson. Hacker.*
> *Die Hencker. Die Jungfrauen an den Fenstern.*

I. Jung. O schrecklich Schau-Gerüst! I I. Soll Carl den
                                       Platz betreten?
I I I. Sol er / wo vor sein Volck ihn schir pflag anzubeten
In höchster Schmach vergehn! I V. Fällt er in seinem Land?
Für seiner eignen Burg? durch eines Henckers Hand?
I. Ach hätte wehrter Printz das Schwerdt aus
                                       hingenommen /   265
Da wo auff blancken Feld / Heer gegen Heer ankommen!
Ach! hätte dich bey Wicht die tolle See bedeckt;
So würde nicht dein Tod mit so vil Schmach befleckt.
V I I. Der Tod hat keine Schmach! die Schmach ligt auff den
                                       Richtern /
Sein Vnschuld läst sich schaun vor tausend Angesichtern.   270
Man wird an seiner Stirn / an den Geberden sehn /
Den unbefleckten Geist / die Tugend die wir schmehn /
Die wir / wenn Gottes Rach wird Himmel ab erscheinen
Noch werden mit vil Reu' in heisser Angst beweinen.
I. Jung. HErr scheub diß Vrtheil auf / biß mein Gesicht
                                       erblast!   275
Wo nicht / so nimm nur bald der Glider schwere Last
[417] Von dem gepresten Geist. V. O Schwestern! O! sie
                                       kommen!

(o) Die Geister verschwinden.

I I. Die Majestät hat gantz sein Antlitz eingenommen.
Vnd streicht / in dem sie nicht in Purpur fünckeln kan /
Mit unerschöpfftem Glantz die schönen Glider an.
I V. Itzt siht er nach dem Klotz auff dem er sol
                                        verschwinden!
C a r o l. Ob denn kein höher Block in Britten mehr zu
                                        finden!
I. J u n g. Der vor drey Königreich mit höchster Macht
                                        besaß;
Hat kein bequemer Holtz zu seinem Tod / als das.
C a r o l. Man wird uns leider! hir nicht vil Verhöre
                                        gönnen;*
Drumb zeugt uns Thomlisson. Wir hätten schweigen können:
Idennoch zu entgehn dem rasenden Verdacht /
Als wenn durch eigne Schuld wir in die Noth gebracht:
Erfordert uns're Pflicht / durch die wir GOtt verbunden /
Vnd Reich und Vaterland / daß in der letzten Stunden
Ich darthu; daß ich sey ein Mann ohn arge List /
Daß ich ein gutter Printz / und unverfälschter Christ.
    Was nötig aber hir von Vnschuld vil zu handeln?
Es weiß wer Athem zeucht / und was nach uns wird
                                        wandeln /
Er weiß der alles weiß / der Well und Welt bewegt
Vnd der schon über mich ein grösser Vrtheil hegt;
Daß wir zum ersten nicht das grimme Schwerdt erwischet /
Daß auff die Freyheit uns kein Eyver angefrischet /
Der Parlamente Macht ist nie durch uns verletzt /
Sie haben sich vorher uns grimmig widersetzt.
Sie suchten aus der Faust das Krigsrecht uns zu winden:
Die sich doch überzeugt durch ihr Gewissen finden
Daß es das meine war. Gilt unser Wort nicht hir:
So red an Carlen stat so mein / als ihr Papir.
Wer beyder Vnterschrifft wil redlich überlegen /
Wird sonder Brille sehn / wer nach dem ersten Degen
In heissem Vorsatz griff. Entdeck es grosser GOtt!
Ich aber: ich verzeih' und wil den hohen Spott

Der Blutschuld nicht auff sie und ihre Köpffe schiben.
Die sauber mögen seyn!) villeicht fleust diß Betrüben /   310
Die Mordquell / beyderseits aus nicht-getreuem Rath!
Uns überzeugt der Geist: daß wir durch dise That
418] Auffs minste nicht beschwer't und möchten wol
                              vernehmen:
Daß sie sich vor sich selbst nicht etwa dörfften schämen.
Diß aber / diß sey fern: das Carl sich so verführ /   315
Und nicht in seiner Noth des Höchsten Vrtheil spür.
Der Höchst' ist ja gerecht! und pflegt gerecht zu richten /
Auch durch nicht rechten Schluß / den Vngerecht' erdichten.
Wie Wentwort durch uns fil in nicht verdinte Pein:
So muß sein herber Tod itzt unser Straffe seyn.   320
Wir müssen durch den Spruch / durch den er hingerissen /
Vnschuldig / wider Recht / auch Blut / für Blut vergissen /
Vnd geben Hals für Hals. Doch klag ich nimand an
Weil ich ein rechter Christ / von Christo lernen kan
Wie man verzeihen soll. Sagt wenn ich nun erblichen: 325
Sagt Juxton / wenn die Seel' aus diser Angst gewichen /
Wie willig ich vergab dem welcher mich verletzt /
Dem der mich unterdrückt / dem der das Richt-Beil wetzt /
Dem / der nach meinem Tod sich Tag und Nacht bemühet
Villeicht mir unentdeckt. Doch sihts / der alles sihet.   330
Ich forsche nicht mehr nach. Schreib ihnen diß nicht an.
GOtt! ewig gutter GOtt. Wer nur verzeihen kan
Erfüllt nicht alle Pflicht. Mein Liben dringt noch weiter!
Ich wündsche daß die Nacht zertreib' ein helles Heiter.
Daß ihr verfinstert Hertz den schwartzen greuel Fleck' /   335
Vnd wie es sich verstürtzt bey klarem Licht entdeck.
   In Warheit Eigen-nutz hat schrecklich hir gefrevelt /
Vnd GOttes Donner-keil auff seinen Kopff geschwefelt!
Ich aber steh für euch! und bitt' / als jener riff /

15 *verführ:* Konjunktiv von ›sich verfahren‹, einen falschen Weg ein-
schlagen, sich verirren.
36 *verstürtzt:* verirrt.
38 *geschwefelt:* unter Schwefeldunst geschleudert (Palm).

Der unter rauhen Sturm der harten Stein' entschliff:
Vergib erhitzter GOtt! hilff ihre Sinnen lencken!
Laß sie nach rechtem Weg' und wahrem Fride dencken.
Das sich mein Vnterthan in höchster Angst erquick /
Mein Vnterthan / den ich bey letztem Augenblick
Befehl in deine Gunst. Wer wird den Wundsch entdecken?
Ich hoff er werde noch vil aus dem Schlaff erwecken
Die diser Wind einwigt. Eur Weg ist gantz verkehrt!
Ich seh' und alle Welt daß ihr das Reich verhert /
[419] Vmb durch ein rasend Schwerdt die Cronen zu
                                                 gewinnen /
Zu theilen Land und Land. Wer lobt ein solch Beginnen?
Wenn man ohn rechtes Recht / ohn Vrsach umb sich greifft /
Wird man nicht jenem gleich / der Thetis Schaum
                                                 durchstreifft
Vnd wider Völcker Recht die freye Flacke hindert /
Vnd die durch Brand und Stahl zustückten Seegel plündert?
Philetas rieb diß selbst dem grossen Grichen ein!
Wer härter raubt als ich muß mehr ein Rauber seyn.
   Solt euch auff disen Weg ein heilig Fortgang segnen?
Solt euch die wahre Ruh' auff disem Pfad begegnen?
Nein sicher! wo ihr nicht GOtt und den Fürsten gebt
Was beyder eigen ist: so fält / was umb euch schwebt /
Diß Wetter über euch. Ihr must dem Fürsten geben /
Vnd denen die nach ihm ihr Erbrecht soll erheben /
Vnd denen / über die der Fürst den Zepter führt /
Was Printz' und Printzen Erb' / und Vnterthan gebührt.
Gebt GOtt sein eigne Kirch': Ihr selbst habt sie zustreuet:
Sie wird durch GOttes Wort und Ordnung nur erfreuet.
Mein Rath kommt hir zu kurtz. Setzt einen Reichs-Tag an /
Vnd hört was unerschreckt ein jeder sagen kan /
Der mehr des Höchsten Ehr' als seinen Nutz behertzet /

---

340 *Der . . . entschliff:* der heilige Stephan.
352 *Thetis:* griechische Meeresnymphe, Mutter des Achill.
355 *Philetas:* griechischer Dichter und Philologe, Lehrer Theokrits und des
    ägyptischen Königs Ptolemäus II. (4. Jh. v. Chr.).

Vnd nicht mit seinem Heil und aller Wolfahrt schertzet. 370
Wer rührt das grimme Beil? Last! last es unverletzt /*
Das es nicht vor der Zeit werd an den Hals gesetzt.
Diß was mein eigen ist wil ich nicht ferner rühren /
ich rede nicht für mich. Euch mag das Recht anführen!
Ls zeig' euch eure Pflicht. Was nun das Volck angeht: 375
Zeugt der / der für sein Volck und Volckes Freyheit steht;
Der dessen Freyheit mehr als eignen Nutz betrachtet:
Wenn man des Volckes Heil und Leben recht beachtet /
Vnd wie es recht beherscht / und treu versichert hält;
So hat es seinen Wundsch. Wer nach dem Zepter stelt; 380
Reist alle Schrancken durch / und sucht ein schrecklich Ende /
Weil Printz und Vnterthan doch unvermischte Stände.
420] Versucht auch was ihr könnt: nennt unterdruckten
                                                frey:
Wenn Albion betraurt daß es gezwungen sey.
Vnd drumb erschein ich hir! hätt' ich diß können
                                                schlissen:
Daß man die Grund-Gesetz und Ordnung gantz zurissen / 385
Wenn mir des Lägers Trotz / und unbeherschte Macht /
Vnd Frevel je belibt / man hätte sich bedacht
Mich auff dem Traur-Gerüst zum Opffer vorzustellen /
Zum Opffer für diß Volck. HErr laß kein Vrtheil fällen 390
Auff die verbländte Schaar / vor welch ich dir mein Blut
Hingeb' und den für Kirch und Reich verlobten Mut:
Verzeiht. Ich halt euch auff! wir wolten Zeit begehren /
Vmb uns zu gutter Nacht was besser zu erklären;
Man gibt uns die nicht nach. Doch was sind Worte noth 395
Dafern die Vnschuld spricht / und zeuget mit dem Tod.
Die hat euch itzt entdeckt mein innerstes Gewissen /
Die wündscht / wo ihr ja noch könnt etwas heilsams
                                                schlissen:
Daß euer Rath forthin dem Reich ersprößlich sey /
Vnd eure Seele selbst von grauser Schuld befrey! 400

392 *verlobten:* angelobten, geweihten.

J u x. Ob zwar sein Gott'sdinst / Herr / durch alle Welt
                                          erschollen
Doch / weil Verläumdung denn auch rasend schertzen
                                          wollen:
Benem' er durch ein Wort der Schlangen dise Gifft.
C a r o l. Gar recht erinnert! was diß hohe Werck betrifft.
So glaub' ich fest' / es sey der Erden unverborgen:
Wie mein Gewissen steh / daß seine Seelen-Sorgen
Auff GOttes Hertze setzt / dem ich / wie je und eh'
Auch sterbend als ein Kind der Kirch' entgegen geh'
Der Kirchen die vorhin in Albion geblühet /
Die nun sich in der Irr und höchstem Kummer sihet.
Ich mißbrauch eurer Zeit! I. J u n g f. Die Mörder kommer
                                          an!
I I. J u n g f. Vermummt. Weil Boßheit nicht das Licht
                                          vertragen kan.
C a r o l. Wir haben rechte Sach' und einen GOtt voll
                                          Gnaden.
J u x. Der aller Fluch und Noth auff seinen Sohn geladen.
[421] C a r o l. Man marter uns nicht mehr / als euch das
                                          Blut-Recht heist.
Wir schreyn den Höchsten an. Verzeuch biß sich der Geist
Dem Schöpffer anvertrau. Wenn wir die Händ' außstrecken
Thu deinen Schlag getrost. Langt uns das Haubt zu decken.
I I I. J u n g f. Diß ist die letzte Cron! wohin verfällt die
                                          Pracht!
Wohin der Erden Ruhm! wohin der Throne Macht!
C a r o l. Wird unser langes Haar auch wol dein Richt-Beil
                                          hindern?
H e n c k. Ja! I. J u n g f. Sol man noch den Schmuck des
                                          höchsten Haubtes mindern
V I. J u n g f. Er streicht die Locken selbst unzaghafft auff
                                          die seit
Vnd steckt die Flechten auff. C a r o l. Weg alle Traurikeit

_____

418 *Langt uns:* reicht uns etwas.

Wir haben ja uns zu erquicken   425
    Ob unser Sachen gutem Recht /
Vnd an dem GOtt der an-wird-blicken
    Voll Gnad' und Libe seinen Knecht.

J u x. Den Schau-Platz muß mein Fürst zum letztenmal
                beschreiten,
Den Schau-Platz herber Angst und rauher Bitterkeiten.   430
Den Schau-Platz grimmer Pein! auff dem ein ider findt
Daß alle Majeståt sey Schatten / Rauch und Wind.
Der Schau-Platz ist zwar kurtz! doch wird in wenig
                Zeitten /
Auff kurtzer Bahn mein Printz das ferne Reich
                beschreitten /
Den Schau-Platz höchster Lust. Auff dem die Ewikeit   435
Mit Friden schwangrer Ruh krönt unser Seelen Leid.
C a r o l. Wir scheiden aus der trüben Nacht des Zagens;
Zu dem gewündschten Licht der schönsten Sonne!
Wir scheiden aus dem Kercker herbes Klagens /
In das gezihrte Schloß der höchsten Wonne!   440
Wir gehn aus dem Engen-Lande in der Engel weites Land /
Wo kein schmertzend Weh betrübet den stets-unverrückten
                Stand /
Nimand wird die Cron ansprechen:
Nimand wird den Zepter brechen /
Nimand wird das Erbgut kråncken /   445
Daß der Himmel uns wird schencken.
[422] Nimm Erden / nimm was dein ist von uns hin!
Der Ewikeiten Cron ist fort an mein Gewin:
V I I I. J u n g f. Wol disem! dessen Cron der Abschid so
                vergrösset.
C a r o l. Schaw' ob der Nacken nun von allem Haar
                entblösset.   450
V I I. J u n g f. Er gibt den Mantel weg. I I I. J u n g f.
                Leg ab mit disem Kleid
Was dich bißher umbhüllt / dein überschweres Leid!

IV. Jungf. Er nimmt das Ritter-band und Kleinot von
dem Hertzen!

VI. Jungf. Der Höchst' entbünde dich mein Fürst von
deinen Schmertzen /

Carol. Fahrt wol mit disem Band / Welt / Zepter / Cron
und Stab.

Ade beherschtes Reich! wir legen alles ab.

Last unserm ältern Sohn / diß Ritter-Ehren Zeichen /

Nechst meinem Petschafft Ring zum Denckmal überreichen.

Nemm't ihr / weil auff der Welt ich nichts mehr geben kan

Diß Kettlin Thomlisson / diß Vhrwerck Hacker an.

Bleibt Bischoff / bleibt gegrüst / stets indenck meiner
Worte.*

IV. Jungf. Da steht die Tugend bloß. VI. Jungf. Ist
nimand an dem Orte

Der mit dem letzten Dinst den grossen Fürsten ehr!

Nein! er entdeckt sich selbst! VI. Jungf. Sind keine
Diner mehr!

III. Jungf. Der so vil tausend vor beherscht durch einig
Wincken:

Von dem setzt alles ab noch vor dem Nidersincken!

II. Jungf. Da geht der werthe Printz zu seinem
Mord-Altar.

I. Jungf. Der Britten Opffer-Platz und letzten
Todten-Baar!

Carol. Steht dein Block fest? Henck. Er ist / mein
Fürst recht fest gesetzet.

Carol. Hat uns unser Albion keines höhern wehrt
geschätzet?

Henck. Er mag nicht höher seyn. Carol. Wenn ich die
Hånd' außbreit /

Verrichte deinen Streich! II. Jungf. O Schandfleck aller
Zeit!

453 *Ritter-band und Kleinot:* die Abzeichen des Hosenbandordens.
464 *entdeckt:* entkleidet.
466 *setzt alles ab:* wenden sich alle ab.

[423] Sol der Britten Majestät sich so tiff zur Erden neigen?
Vnd ihr drey-bekröntes Haubt vor des Henckers Füssen
zeigen?

C a r o l. O König der uns durch sein Blut   475
            Der Ehren Ewig-Reich erwarb!
            Der seinen Mördern selbst zu gut
            An dem verfluchten Holtze starb /
            Vergib mir was ich je verbrochen
            Vnd laß die Blutschuld ungerochen.   480
            Nimm nach dem überhäufften Leiden /
            Die Seele die sich dir ergibt:
            Die keine Noth kan von dir scheiden;
            Die HErr / dich / wie du mich gelibt:
            Auff in das Reich der grossen Wonne: 485
            Erfreue mich du Lebens Sonne!
            Erhalt mich unerschöpffte Macht!
            Hir lig ich! Erden gutte Nacht!

I. J u n g f. Da ligt des Landes Heil. I V. Da ligt des
                                              Landes Leben;*
I I. Vnd aller Printzen Recht! I I I. Wer wird! wer kan
                                              erheben   490
Was der geschwinde Streich in einem Nun zerknickt!
V. Was die gestürtzte Leich mit ihrem Fall erdrückt!
V I. Ach! beweint nicht dessen Cörper / der ein grösser
                                              Reich empfangen!
Weint über dem / was GOtt hat über uns verhangen!
A l l e J u n g f. O Jammer! O! O grösser Schmertzen Höh. 495
I I. Ach Himmel Ach! A l l e J u n g. Ach tausendfaches
                                              Weh!

            Die Geister der ermordeten Könige.
                    Die Rache.

I. G e i s t. Rach! Rache grosser GOtt! I I. Rach! Rach!
                              I I I. HErr komm zur Rache!
I V. Rach über unser Blut! V. HErr richte meine Sache!

[424] A l l e. Rach! Rache! Rache! Rach! Rach! über disen
                                    Tod!
V I. Rach über disen Fall und aller Printzen Noth!

I.   Erscheine Recht der grossen Himmel!
            Erschein' und sitze zu Gericht
            Vnd hör' ein seufftzend Weh-getümmel /
            Doch mit verstopfften Ohren nicht.
II.   Wilst du die Ohren ferner schlissen
            Sihst du nicht / wie man Throne bricht;
            So laß doch dises Blutvergissen /
            Gerechter ungerochen nicht.

A l l e. Rach Himmel! übe Rach! I. Rach König aller
                                    Götter.
I V. Rach aller Printzen Printz! V I. Rach über Vbelthäter!
V. Rach über unser Angst. I I. Rach über aller Noth!
V I I. Rach über diß Gericht. A l l e. Rach über Carles Tod.
D i e R a c h e. Die Donner-schwangre Wolcken brechen:
Vnd sprützen umb und umb zertheilte Blitzen aus!
Ich komme Tod und Mord zu rächen!
Vnd zih' diß Schwerdt auff euch ihr Hencker und eur Hauß!
Weh zitternd Albion! die Rache
Schwer't bey der Götter GOTT und deines Königs Blut;
Daß auff dein Grund-verderben wache /
Ein unerhörter Grimm und Plagen-volle Flut.   5
Reiß auff du Schlund bestürtzter Erden!
Last ab die ihr bemüht die Schuldigen zu quälen!
Aus Engelland wird helle werden /
Hört was die Rach' euch wil / ihr Furien befehlen!
Komm Schwerdt! komm Bürger-krig! komm Flamme!   5
Reiß aus der Tiffe vor geschminckte Ketzerey!
Kommt weil ich Albion verdamme!
Ich geb Jerne Preiß und Britten Vogelfrey!
Ihr Seuchen! spannt die schnellen Bogen!

523 *helle*: Hölle.

Komm! komm geschwinder Tod! nim aller Gräntzen ein! 530
Der Hunger ist voran gezogen /
Vnd wird an Seelen statt in dürren Glidern seyn!
[425] Komm Zwitracht. Hetze Schwerdt an Schwerdter!
Komm Furcht besetz' all End' und Oerter.
Komm Eigenmord mit Strang und Stahl. 535
Komm Angst mit allzeit neuer Qual.
Ihr Geister! laufft! weckt die Gewissen /
Aus ihrem sichern Schlaffen auff!
Vnd zeigt warumb ich eingerissen!
Mit der gesammten Straffen Hauff! 540
Ich schwere noch einmal bey aller Printzen König
Vnd der entseelten Leich / das Albion zu wenig
Zu dämpffen meine Glutt. Das Albion erseufft:
Wo es sich reuend nicht in Thränen gantz verteufft.

ENDE.

---

539 *eingerissen:* eingedrungen.

Kurtze Anmerckungen
über
CAROLUM.

BEy diser neuen und vermehreten Ausgebung gegenwertigen
Traurspils habe ich auff Begehren nicht umbgehen können
dem Leser mit gar wenigem zu richtigem Verstande eines und
andern Ortes behülfflich zu seyn / theils umb etliche dunckele
Oerter zu erklären / theils umb dar zu thun / daß ich ohne
erhebliche Vrsache und genugsame Nachrichten eines und andere nicht gesetzet. Weiter zu gehen und weitleufftige Aus-
legungen zu schreiben ist nicht meines Thuns / nicht Vorha-
bens / nicht der Notturfft. Ein ider sihet / daß ich / wenn
mir derogleichen belibet bey disem reichen Zeuge sehr vil und
mehr denn vil hätte zusammenschreiben können.

In der Ersten Abhandelung

bilde ihm der Leser nicht ein / daß das Gespräch des Feld Obristen mit seiner Gemahlin / und derselbigen Anschlag den König zu retten / meine Erfindung sey; sondern es wird solches
vor eine ausdrückliche Warheit ausgegeben / von Herren
Conte Bisaccioni, in seiner Geschichtbeschreibung des Bürgerlichen Kriges von Engelland in 107. und folgenden Seiten
des andern Buchs / so gedruckt zu Venedig durch Francisco
Storti. Da der Leser wo nicht eben dise Worte derer ich mich
allhir gebrauchet / doch deren Inhalt finden wird.
V. 12. Albion. Ist der Name welcher vor Zeiten Engelland
und Schottland gegeben / von den weissen Felsen so an derselbigen See ligen. Andere wollen mehr darüber halten es sey
dises ein alter Engelländischer Namen / massen die Schotten
noch heute ihr Land Albin nenneten.
V. 98. Was hat er nicht geschworen. Fairfax der [427] den
König in dem Namen gedachter Engelländischer Reichsstände
von den Schotten angenommen hat aus freyem Willen das

heilige Abendmal darauff empfangen / zum gewissen Zeug-
nůß daß dem Kônige kein Leid geschehen solte.
Erhôhete Majestât Carl des Zweyten in dem I. Buch p. 78. 35
Fairfax hat zwar seine Wortt / sonderlichen anfangs / da es
mehr als damals in seiner Gewalt gestanden / und die Krigs-
Bedinten noch Meistentheils des Kônigs Freunde zu seyn
schinen / bestermassen beobachtet / denn er nam den Kônig
an mit hôchster Ehrerbitigkeit / und liß ihn eben als wenn 40
er gantz frey gewesen recht Kôniglich und mit aller Hôfflig-
keit bedinen. Aber wie die anderen ihren so theuren Eyd-
schwur betrachtet / werden wir bald vernehmen: eben daselbst in der 79. Seiten.
V. 253. Hugo Peter. Der vornehmste Stiffter der Indepen- 45
dentischen Rotte / welcher sich / wie Honorius Reggius de
Statu Ecclesiarum in Anglia erwehnet / in Deutschland nach
Roterdam / und in Neu Engelland begeben / die Indepen-
dentische Kirche einzurichten. In der peinlichen Anklage wird
ihm vorgehalten §. 1. daß er in Neu Engelland erwehlet zu 50
einem Fridenstôrer / und in Engelland gesendet Krig zu erwecken §. 3. Daß er mit Cromwell gerathschlaget / wie der
Kônig vor Gericht môchte gebracht und enthauptet werden.
§. 6. daß er nicht allein zu dem Ende die Waffen ergriffen /
sondern selbst Colonell worden und Commissiones ausge- 55
theilet. §. 7. Daß er heimlich mit Cromwel, Pride und andern
gerathschlaget über diß bluttige Vornehmen §. 8. daß er zu
Windsoor mit Cromwel, Irreton und Rich ordinariè des
Abends spât [428] unterschidlich mahl heimlich Rath gehalten / nach welchem Rath der Kônig zu Recht gestellet worden 60
u.d.g.
V. 262. Mit zweymal funffzig Pfunden. Hewlet ward beschuldiget / daß er einer von denen gewesen die sich auff dem
Mordgerüste vermummet und mit einem langen Rocke sehen
lassen / ja der Graubart sey der den tôdtlichen Mordschlag 65
begangen / darvor er 100. Pfund Sterlings empfangen mit der
Verheissung / daß Er in Irrland solte befôrdert werden u.d.g.
Verschmehete und erhôhete Majestât. III. Buch auff der 420.

Seiten. Besihe dessen Anklage. Mich hat ein glaubwůrdiger
Mann berichtet / daß / als der Hencker verwidert Hand an
den Kőnig zu legen / und derowegen der Rath bestůrtzt gewesen: Er selbst hervor getretten / und sich zu dieser That
anerboten.

V. 293. Klammern dann und sprengen. Besihe Clamorem
Sanguinis Regis, in welchen Buch dises weitlåufftiger erzehlet wird.

V. 345. Insel rauer denn dein Meer. Britannia fertilis Pro-
vincia Tyrannorum, saget Porphyrius bey Hieron. ad Ctesi-
phontem adversus Pelagium. Ausonius Epigr. CVII.

> Silvius hic bonus est, qui carmina nostra lacessit;
>   Nostra magis meruit carmina, Brito bonus.
> Silvius hic bonus est. Quis Silvius? iste Britannus?
>   Aut Brito hic non est Silvius, aut malus est.
> Silvius iste bonus fertur, ferturq; Britannus;
>   Quis credit Civem degenerasse bonum?
> Nemo bonus Brito est; si simplex Silvius esse
>   Incipiat, simplex desinat esse bonus.&c.

In der 2. Abhandelung.

V. 1. Entstimmete Harffe. Die Harffe ist das Wapen des
Kőnigreichs Irrland. Die Schotten fůhren einen Lewen mit
Lilien in den Enden des Schildes umbgeben. Engelland in ge-
virdten Schilde drey Lewen und drey Lilien / so den Anspruch an das Kőnigreich Franckreich bedeuten. Von den
letztern Lewen und Lilien ist das ausbůndige Lateinische Epi-
gramma an Kőnigin Elisabeth geschriben:

> Qui Leo de Juda est, & flos de Flore Leones
>   Sospitet, & flores protegat Ille Tuos.

V. 7. Jerne / oder Juerna ist der alte Namen Irrlandes. So
auch bey Euchstathio, Bernia genennet.
V. 50. Besihe Kőnig Carols Gedancken in Icone Basilic. C.
IV. von dem Geschrey des Volckes in London / schrecklich

war es anzusehen und zu hören / daß sich die Lehrbuben der 15
Handwercks Leute und derogleichen junge Rotten mit vil
tausenden zusammen gegeben / und mit grossem abscheuli-
chen Geschrey bald vor dem Parlaments Hause / bald vor
dem Königlichen Pallast dises und jenes mutwilligst begehren
dörfften / worzu sie denn von vilen angetriben worden. 20
V. 71. V. 72. Verråhter / Ketzer / welche SchandNamen dem
Stadthalter / dem Ertzbischoff und nachmals dem Könige
selbst zugeleget! die ersten Zwey wurden beschuldiget hohen
Verrahts / der König verdammet als ein Tyrann / Verråhter /
u.d.gleichen / und muste hin und wider ausgeschrien werden 25
als einer der den in Engelland gewöhnlichen Gottesdinst zu
unterdrucken gesonnen. Besihe diser dreyen letzte Worte die
sie auff dem Richt-Platze geführet.
V. 92. Selbst Haubt / Hirt und Bischoff. Man sihet hir auff
die so genennete Independentes, welche wir Freysinnige oder 30
Vngebundene nennen / eigentlich heissen es solche Leute /
welche in Gewissens Sachen auff nimandes ihr Absehen haben. Elenchus Motuum Britannic. *Independentes audire non
recusant,* [430] *nato inde nomine, quod hi nullius Ecclesiae
nationalis, nullius civilis ordinis arbitrio pendentes, omnia* 35
*ad doctrinam Regimenque Ecclesiasticum spectantia intra
privatos coetus administrarunt, non quod de religione mag-
nopere solliciti essent Horum plerique, sed quod speciosa
ista professio latissimam panderet Sectis omnibus fenestram*
p. 137. Honorius Reggius. Independentes, sicut producunt, 40
ita & fovent ac nutriunt Sectas; ac semper cum iis contra
Presbyterianos colludunt. Eo mox insaniae delapsi sunt, ut
pro absoluta toleratione omnium Religionum voce, scripto,
mox & gladio id acturi pugnent. Deren erster Stiffter ist /
wie obgemeldet / Hugo Peter gewesen / welcher zu Roterdam 45
dise Braut geziret / nachmals in Engelland eingeführet / wo-
selbst sie von dem Cromwell auffs höchste behaubtet / welchen auch Salmasius nicht unrecht Regem und Caput Independentium nennet.
V. 101. Vnser Tod zu schnödem Lockaaß dinen. Besihe war- 50

hafften Bericht von König Carls Leben / Regirung und Tod auff der 83. Seitten. Hirzu / wird dar gesetzet; kam der beklägliche Tod des Ertzbischoffen von Canterberg / welcher / wie oberwehnet / vir Jahre in der Tour von Londen gefänglich gesessen; aber alleine als eine Lockebrod / zu Widerhereinführung der Schotten (wann das Parlament ihrer Zweyten Hülff benötiget seyn solte) bewahret worden: Gleich wie sie vorhin mit des Graffen von Strafforts Person diselbe eingelocket hatten. Demnach nun die Schotten gekommen / und in Norden gute Dinste geleistet / erachtete man für gut sie mit selbigem Blute / darnach ihnen so hefftig gedurstet hatte / zu gratificiren. Vnd ward darauff der Ertz-Bischoff im Hause der Gemeine hoher Verrähterey schuldig erkant / und im (so schwachen) Hause der Herren / (daß nur 7. derselben / benantlich die Gra[431]fen von Kent / Pembrock / Salingsburg und Bullingbrock / und die Herren von North / Gray und Brewes bey seiner Verurtheilunge gegenwertig waren) zum tode condemniret, darauff ward er am 10. Januarii nacher dem Schavott auf Tourhill gebracht und endigte daselbst sein Leben mit solcher modesten Beständigkeit und so grosser Gottesfurcht / daß eben seine ärgeste Feinde / welche dahin gekommen waren die Execution mit Hertzens Freuden anzuschauen / mit weinenden Augen wider zurück kehreten.

V. 112. Die gantze Zweyspalt zwischen dem Könige und den Schotten / welcher hernach die Auffruhr in Engelland gefolget / hat sich wegen Einraumung der Kirchengüter in Schottland entsponnen. Welchen Verlauff der Bericht von dem Leben und Tode Caroli auffs genaueste mit folgenden Worten zusammen gezogen / auf der 43. 44. 45. 46. 47. und 48. Seite. In den unmündigen Jahren Königs Jacobi wurden alle Länder der Cathedral Kirchen und geistlichen Häuser / welche durch eine Handlunge des Parlaments der Cron zugeeignet worden (aus Nachsehen des Grafen von Murray und anderer Regenten) unter die grossen Herren selbigen Königreichs partiret, umb selbige desto besser zur Hand zu haben. Diselbige aber / nach deme sie die possession besagter Länder / und dem geistlichen Gute angehöriger Regalitäten und Zehenden überkommen / besassen solche mit Stoltz und Vbermuts genug / in ihren verschidenen Gebiten / hilten die Clerisey zu geringen Stipendien / und den armen 90 Bauersmann zur bedaurlichen Schlaverey und Subjection.

Als nun König Carl bey Annehmunge der Cron [432] in Krigen engagiret und von dannen zu Fortsetzunge derselben wenig Vorschub hatte / ward Er durch guttachten seines Raths in selbigem Königreiche vermocht solche Länder / Zehenden 95 und Regalitäten widerumb zu sich zu nehmen / als wozu die itzige Occupanten kein ander Recht hatten vorzuschützen / als die unbefugte Anmassung ihrer Vorfahren. Dises beflisse er sich ins Werck zu setzen / und zwar erstlich durch eine Revocations-Acte / wie aber diser Weg nicht vorträglich schine / 100 verfolgete er es durch einen ordentlichen Process, und erlangte eine Commission die Superioritäten und Zehenden zu restituiren und dem Könige mit solchen Conditionen wider einzuräumen / welche der Cron zu Nutzen zu der Geistlichen Stipendien Verbesserunge / und des gemeinen Volckes Er- 105 trägligkeit gereichen möchten. Aber die stoltze Schotten erwehleten liber / ihr Vaterland in Gefahr gäntzlichen Verderbs zu setzen / als sich der jenigen Macht / oder vilmehr Tyranney / so sie bißhero über ihre Vnterthanen / (also nenten sie dieselben) geübet / im geringsten zu begeben / und 110 machten darauff eine Zusammenschwerung / dem Könige in allem / was im folgendem Parlamente (die Kirchen affairen betreffend) vorgebracht würde / sich zu wider setzen. Weiln aber die Religion und deren Vorschützung der sicherste Weg ist den Pöbel zu berücken: also musten sie auch andere Mit- 115 tel erdencken (als ihr eigenes privat interesse) den König von Verfolgung der besagten Commission abzuhalten; welches ihnen denn nach Wundsch anginge / und zwar folgender Gestalt.

[433] König Jacobus hatte bey erster Antrettung der Cron 120 Ihme fürgenommen die Kirche von Schottland mit der von Engelland zur Gleichheit im Regimente und Gottesdinste zu

bringen / darinnen auch so weit avanciret, daß er die Bischof-
ferey unter ihnen einführete / und 13. neue Bischöffe ernante
für so vil Bischoffthümer als in alten Zeiten zu selbiger Kirchen gehörig gewesen; Deren drey die Consecration von dem
Bischoffe von Engelland empfingen / und zu ihrer Heimb-
kunfft ihren übrigen Collegen conferirten. Welche Bischoffe er
mit behuefigen hohen Commissionen versahe / den übermüt-
tigen und dominirenden Geist der Preßbyterianer desto besser in Zaum zu halten. Folgends verschaffte er / das bey der
Versamlunge zu Aberden im Jahr cIↄ Iↄ CXVI. eine Handlunge bekräfftiget wurde / zu Auffrichtung einer Kirchen-
Ordnung / und extrahirunge etlicher neuen Regeln / aus den
alten zerstreuten Acten der vorzeitigen Versamlungen.
Bey der Versamlung zu Perth cIↄ Iↄ CXVIII. erhilte er
eine Ordre das Abendmal des HErren kniende zu empfangen / auch selbiges / und die heilige Tauffe auff euserste Noth-
fälle in Privat-Häusern zu reichen. Item die Confirmation
der Bischoffe / und endlich die Celebration der hohen Feste /
als Christi Geburt: Leiden: Aufferstehen: Himmelfahrt und
Herniderkommung des heiligen Geistes. Welches alles im
nechstfolgenden Parlamente confirmiret worden.
[434] So weit brachte der verständige König dises Werck /
ehe und bevor er sich in die Pfältzische Sache einmischete.
Die ruptur mit Spanien und darauff erfolgender Krig / lenck-
ten seine Gedancken ab von Verfolgunge solches löblichen Für-
nehmens / welches sein Sohn (mehr mit ausländischen Krigen
und einheimischer Vnruhe beladend wesend) nicht Zeit hatte
zu vollführen ehe er seine Sachen zum guten Stande gebracht
und ihme so wol einige Macht als Glorie erworben; Sondern
weil es eine Sache war / die nach und nach mit guter Weile
und nicht auff einmal wolte gethan seyn / resolvirete er sich
zuförderst eine Ratifications Acte bekräfftigen zu lassen
über allem was von seinem Herren Vatern hirinn gethan
und fürgenommen / und alsdann mit Einführung der allgemeinen Kirchenordnung fortzufahren. In welches effectui-
runge er dasmahl / als er nach Schottland zoge / dessen un-

glückselige Cron zu empfahen wegen Bekräfftigung gemelter
Ratifications-Acte im Parlement desselben Königreichs vil 160
stärckern Widerstandt fande / als er Vrsache hatte gewertig
zu seyn: aber doch zu letzte diselbe per Majora erhilte.
Dises gabe ihme die erste Anzeige ihrer Abneigung zu seiner
Person und Gouvernement; Nichts desto weniger fuhr er
fort in Verfolgunge seines Fürhabens. Dann / nicht lange 165
nach seiner Wideranheimkunfft in Engelland / ordinirte er
den Dechanten seiner Königlichen Capellen zu Edenburg /
darinne Gebete zu lesen nach Innhalt der Engelländischen
Kirchen-Ver[435]fassung; alle Monat Communion zu halten / und das heilige Abendmal kniend zu empfangen: Wenn
es ein Bischoff reichete / solte solches in seinem Bischofflichen 170
Habite und Zirath geschehen; von einem gemeinen Prediger
aber in seinem Chor-Rocke verrichtet werden; und letzlich
daß nicht allein die Herren des Raths / sondern auch die
Herren der Versamlunge / und so vil von dem Magistrate als
bequämlich sein könte / an Son- und Heiligen-Tagen dem 175
Gottesdinste beyzuwohnen nicht unterlassen solten: Ihme
selbst nicht scheinmangelnde Hoffnung machend / daß durch
dises Mittel die Engelländische Kirchen-Verfassung / als welche gleichsam in der Königlichen Capelle hirmit angenommen war / bey den Kirchen zu Edenburg desto eher statt fin- 180
den / und allgemählich von den übrigen Kirchen selbigen
Königreichs würde acceptiret werden. Aber die Preßbyte-
rianische Schotten / welchen des Königs Intention unverborgen war / beredeten den gemeinen Pöbel / daß dises Vorha-
ben nur dahin zilete / die bedrückte Kirche von Schottland 185
dem Aberglaubischen Gottesdinste und Ceremonien der Kirchen von Engelland zu unterwerffen / und daß derowegen
ihnen gebührete für einen Mann zu stehen / und deroselben
Einführunge sich zu widersetzen.
Die Grossen und von Adel in selbigem Königreiche / (für 190
nichts anders mehr als der oberwehnte Commission de resti-
tuendo sich fürchtende) ergreiffen dise Gelegenheit auch /
und durch einige malcontenten selbiger Nation / welchen der

König in Gunst-Außtheilun[436]ge nicht so liberal als sein Herr Vater gewesen / secundiret seind / beflissen sich dem Volck eine Furcht und Jalousie einzubilden als ob Schottland zu einer Provintz gemachet / und hinfüro durch einen Vice-Roy oder Stadt-halter (gleich Irrland) gouverniret werden solte. Deßgleichen geschahe auch von den jenigen Herren des geheimbten Raths / welche vorhin ihres belibens gouverniret hatten / und anitzo durch Einsetzunge eines Praesidenten oder Haubt Rath-schlägs Directorn, Ihre Macht vermindert / und ihre Personen verkleinert achteten: Also / daß der Pöbel durchgehends in diser Opinion vernarret seind / als ob beedes ihre Geist- und Weltliche Libertåt nicht in geringe Gefahr lifen; von der Preßbyterianischen Faction sich leichtlich einnehmen lisse / wie aus einer årgerlichen und auffrührischen Anno cIↃ ↃↃ XXXIV. publicirten Schrifft klårlich erschine / darinne dem Könige nicht allein eine vorhabende Verånderung des Regiments in selbigem Königreiche beygemessen / sondern er auch einer grossen Zuneigunge zur Catholischen Religion bezüchtiget worden.

Der Autor diser Schrifft war nicht zu erforschen. Der fürnehmste Fautor aber war der Lord Balmerino, welcher dessen mit Recht überführet / und als ein Verråther condemniret / aber durch des Königes grosse Güttikeit begnådigt / und durch solche Begnådigung zu Verübunge hernachfolgender Missethaten beym Leben erhalten ward.

V. 152. Außgezihrtes Grab. Cromwels Grab ist / (wie Weltkündig) unlångst nach seinem Tode / als man seine [437] Leiche darinnen nicht gefunden / von dem wüttenden Pöfel zubrochen / und gantz hinweg geråumet.

V. 161. Es haben sich etliche verwundert / daß ich alhir den Geist Mariae eingeführet. Etliche / schreib ich / welchen Maria nirgends anders her als aus den Geschicht-Büchern des Hochgelehrten / aber damals ihren Feinden und Verfolgern zugethanem Buchanans, dem auch Thuanus nachgegangen / bekant; Andere welche etwas fleissiger sich der Beschaffenheit ihres Lebens erkündiget / wissen besser von ihrem Gefång-

üß und Tode zu urtheilen. Was ihre Engellåndische Gefång- 230
uß anlanget / ist es gewiß; daß / als sie aus dem wider sie
erschworenen Erb-kônigreich Schottland gewichen / und sich
uff der Flucht / in Cumberland auff vorhergehende freund-
iche Antwort-Schreiben und Versprechen der Kônigin Elisa-
eth / (wiewol ehe sie diselben erhalten) begeben; daselbst 235
est gehalten / diser Stats-Regel halber; Wann ein Fûrst ohn
les andern offentliche Erlaubnûß und Geleitte dessen Grund
etritt; verleuret er seine Freyheit. Cambden. in dem ersten
uch von dem Leben Elisabeth in dem cIɔ Iɔ LXVIII. Jahre
etzet darzu; Detinendam hinc pleriqve omnes, jure belli 240
aptam censuerunt. Da doch damals Elisabeth keinen offent-
ichen Krig wider sie gefûhret; noch sie in der Schlacht ge-
angen genommen. Vber ihrem unglûckseligem Tode hat es
il Streitens gegeben. Ausser Zweifel ists das Elisabeth den-
elben / als were sie ûbereilet worden / und die Hals-Straffe 245
vider ihren Willen vorgegangen / betrauret. Man besehe was
ler auffrichtige Cambdenus hirvon erwehnet in dem 3. Bu-
he in dem cIɔ Iɔ LXXXVII. Jahre. Ists der Warheit gemeß /
vas Dauison in seiner Schutz-Schrifft außgibet / so lasse ich
dweden / der noch bey Vernunfft urtheilen / welche Stats- 250
Geheimnûsse dadurch entdecket. Tertio post die, schreibet Er,
um ex somnio, qvod de morte Scotae narravit, eam animo
luctuare sentirem; rogavi an sententiam mutarat. Negavit,
At, inqvit, alia ratio, excogitari poterat, simulqve an a Pow-
etto aliqvid responsi acceptum qvaesivit. Cujus literas cum 255
nonstrassem; in qvibus planè recusavit id suscipere, [438]
qvod cum honore & justitia non conjunctum: Illa commo-
ior, eum & alios qvi Associatione se obstrinxerant, per ju-
ii & voti violati accusavit, qvi magna pro Principis salute
romiserant, at nihil praestabunt. Esse tamen innvit qvi hoc 260
ui causa praestabant. Ego autem qvam infame & injustum
oc foret demonstravi, simulqve in qvantum discrimen Pow-
ettum & Drurium conjiceret. Si enim Illa factum approba-
et, & periculum & dedecus non sine injustitiae nota sibi
ttraheret; sin improbaret, homines optime meritos, & eorum 265

posteros prorsus pessumdaret. Posteaqve me, eodem, qu
Scota sublata est, die, qvod supplicium nondum sumptum
leviter perstrinxit.

V. 171. Foudringen. Der letzte Kercker / und Ort der Ent
haubtung Mariae. Ein verwahrtes Schloß in der Graffschaff
Northampton bey dem Fluß Neen.

V. 196. Es ist der Insel Art. Dises sind Mariae eigene Wort
bey Cambdeno in dem cIↃ Iↄ LXXXVI. Jahre. Anglos in
suos Reges subinde coedibus saeviisse, ut neutiqvam novum
nunc sit, si etiam in me ex eorum sangvine natam ibidem
saevierint.

V. 196. Edward glaubt. Eduardus der II. Ist durch List seine
Stiff-Mutter Alfredae von ihrem Knecht umbgebracht. Besih
Polydor. Vergil. in dem 6. Buch der Engell. Geschichte.

V. 197. Wilhelm der Rott. Diser ist auff der Jagt von einen
Pfeil erschossen. Polydor. Vergil. in dem X. Buch.

V. 198. Richard / der I. ist durch einen vergifften Pfeil in
Limosin umbkommen. Polydor. in dem XIV. Buche.

V. 199. Johann verging durch Gifft. Weil diser König in
zornigem Mutt etliche Wortt in dem Closter Suines Heed' in
welchem Cistercienser gewesen / ausgestossen; ist dadurch
ein Münch dahin bewogen / daß er dem Könige Gifft in den
Wein / welchen er vorhin gekostet / gegossen / damit de
König umb so vil sicherer trüncke / und sind also beyd
schir auff einen Augenblick verschiden. Polydor. in den
XII. Buche.

V. 201. Edward. Diser König ist ein recht Schauspill [439
Menschlicher Nichtigkeit gewesen: verstossen von dem Reich
bekriget von seiner eigenen Gemahlin / und in dem Kercke
von denen die ihn verhütet durch unerhörte Grausamkei
hingerichtet / in dem sie ihm ein glüend Eisen durch den Hin
dern gestossen. Polydor. in dem XVIII. Buch. Bzovius in
dem II. Theil der Fortsetzung der Kirchen-Geschichte Baroni
oder in dem XIV. Theil der Jahr Bücher theilet uns au

269 *Foudringen:* Fotheringhay.
285 *Suines Heed':* Swineshead Abbey.

einem geschribenen Buch der Vaticanischen Buchkammer fol- 300
gende schreckliche Wortte mit; Thomae Gorneio & Johanni
Mantraversio custodiae illum Regina tradiderat, quod comes
nimis remissus erga eum censeretur, itaq; illi valdè erant erga
eum asperi & acerbi suaq; immani importunitate angores illi
cumulabant, maximè cùm noctu & clandestinis itineribus à 305
loco in locum magna cum illius molestia & fatigatione, eum,
ne ubi esset sciretur, transportarent. Tradunt, eos non modo
Illos Edouardo cibos quibus praecipuè afficiebatur subduxisse
& velato, ne agnosceretur capite, infestis secretisque diu
noctuque itineribus exagitasse; Sed & veneno eum appetiisse; 310
licet illud aut naturae firmitate, aut divina benignitate, sine
gravi noxa discusserit, & ut angores illius augerent, coronam
ex foeno contextam capiti per ludibrium in itinere impo-
suisse, & lingua patria exclamasse, *Set fort o Kinge,* id est,
Perge o Rex. Et ut minus forte ab obviis cognosceretur, cae- 315
sariem Capitis, barbamq; in itinere, ad monticulum quen-
dam, quem talpae conficiunt sedenti rasisse. Cumq; tonsor
frigidam, cum nulla alia suppeditaretur, aquam attulisset,
dicerentq; debere Eum aequo animo pro temporum ratione
id ferre; imo verò, inquit, velitis nolitis, calidâ aqua utemur; 320
noxq; ingentes lachrymas, pro rei indignitate profudisse,
quae per genas promanantes, barbam humectarent. Addunt
Auctores, illos ipsos custodes tetris quibusdam odoribus hominem conficere conatos; quod cum non successisset, adhibitis quindecim robustis hominibus, in lecto eum pulvinaribus 325
appressisse admovisseque natibus tubam ductilem, plumbarii-
que ferrum (quo plumbare & ferruminare solent) valde igni-
tum [440] intus immisisse, atque ita intestina vitalesq; spiritus simul excussisse. §. 10. des 1326. Jahres.

V. 203. Richard auch der Zweyt.; Diser ist gezwungen das 330
Reich seinem anverwandten Henrichen dem IV. zu übergeben / auff dessen Befehl er kurtz hernach in dem Kercker
hingerichtet. Polydor. in dem XX. Buch.

V. 204. Henrich der VI. ist von dem Reich verstossen / und
von Richard dem Hertzog von Glocester in dem Gefångnüß 335

umbgebracht / nachmals unter die Zahl der Heiligen geschriben. Polyd. XXIV. Buche.

V. 206. Edwards Hertz. Besihe Polydorum in dem XXV Buche / da dise Grausamkeit weitläufftig beschriben wird.

V. 208. Des achten Henrichs Sohn. Cambden. in Apparatu Historiar. Edwardus VI. immaturè morbo an veneno incertum praeripitur. Florimundus Remondus de Origine Haeres parte 6. §. 4. vermeinet ihm sey durch ein Clistir vergeben.

V. 209. Johanna / Grei oder Graja auff Befehl der Königin Mariae enthauptet / und wegen ihrer unaussprechlichen Leibes und Gemütes Gaben von der gantzen Welt beweinet Cambden. in apparat. Thuanus lib. XIII. Florimond. Remond. part. VI. c. 8. §. 5.

V. 210. Dise schon. Elisabeth. Besihe Cambdenum in apparatu.

V. 213. Von Königen gebohren. Cambden. in Mariae Grabschrifft.

Regina. Regis Filia. Regis Gallorum Vidua. Reginae Angliae Cognata & Haeres proxima. setze darzu Regis Scoti Genetrix.

V. 225. Man spitzt auffs Königs Brust. Vnd dises haben ihner die Mörder des Königs zu sonderm Ruhm angezogen. Aus Schreiben des Parlaments an dem Sabbath Martij des 1646 „Jahres. Es mangelt an keinem Exempel von etlichen seiner „Vorfahren / welche von dem Parlament abgesetzet und her-„nach in dem finstern heimlich und schändlich [441] ermor-„det worden. Dises Parlament aber hilt es vil bequemer (zu „Ehren) der Gerechtigkeit dem Könige zu geben / eine recht-„mässige offenbare Verhöre / durch mehr als hundert Edel-„leute in dem allergemeinesten Gerichts Platz u. d. g.

V. 239. Vor eines Henckers. Nicht zwar vor eines Henckers. sondern eines Obristen; nach dem er aber Henckermässig gehandelt / ist es nicht unbillich / ihm auch solchen Ehren-Nahmen zu vergönnen.

---

343 *ihm sey . . . vergeben:* er sei . . . vergiftet worden.

„V. 263. Verkaufft. Ein solcher Schluß war auch bereits ge- 370
„macht bey den Commissarien von selbiger Nation (der
„Schotten) und den vornehmsten Officirern der Armee, wel-
„che schon mit den Parlament Häusern sich vereiniget hatten /
„und ihn für zweymal hundert tausend Pfundt Sterlings
„bares Geldes seinen Feinden verkaufften und verrihten. 375
„Beschreib. von König Carls Leben und Regirung auff der
„99. Seiten.

„V. 357. Kennst du mich nicht. Der Hertzog von Glocester
„wolte oder könte seinen Vater eine gute weile nicht kennen
„u.d.g. kennest du mich nicht fragte seine Majestät: Nein 380
„antwortete das junge Kind. Ich bin dein Vater mein Kind
„fuhr der König fort / und es ist nicht das kleinste Theil mei-
„nes Unglücks das ich dich zu disen Elendigkeiten gezeuget
„habe. Verschmähete Majestät in dem II. Buch auff der 181.
Seiten. Der Hertzog war damals in dem zehnden Jahre / 385
gleichwol war der König durch seinen Kummer nicht wenig
verstellet / massen dise so gegenwertig seine Hinrichtung angeschauet / mir erzehlet daß er auff dem Haubt gantz grau
gewesen. Derogleichen Abbildung von selben mir gewisen.

V. 398. Pamanuke. Ein Stück Landes bey einem Fluß in 390
Virginien.

V. 441. Von diser ernsten Vermahnung des Königs meldet
die Verschmähete Majestät in dem ersten Buch der 118. seiten.

„V. 457. Ein wildes Roß. Der Hertzog antwortete mit Ver- 395
„wunderung seines Vatern / den er hirüber sehr ernstlich an-
„sahe: daß er sich eher mit wilden Pferden wolte zerreissen
„lassen als solche Frevelthat begehen. Verschmähete Maje-
„stät an gedachtem Orte.

[442] V. 503. Der Mutter die kein Tag. An dem Tage bevor 400
seinem Tode hat Er der Princessinne Elisabetha seiner Tochter befohlen ihrer Mutter zu sagen / daß seine Gedancken sie
nimmer verlassen / und seine Affection gegen Ihr derogleichen biß zum Tode continuiren solte. Beschreibung des Lebens und Todes Caroli auff der 28. Seiten. 405

V. 519. Chur-Pfalz ist hôchst bemûht. Engellandisch Memorial in der kurtzen Erzehlung von dem Tode Carols auff der 106. Seiten.

V. 527. Wie schnôde es mit diser Einsalbung der Leiche zugegangen / erzehlet Clamor Regii Sangvinis, so hirûber zu sehen.

In der III. Abhandelung.

V. 16. Was macht der grosse Mann. Sind seine eigene Worte / die ihm in der Peinlichen Klage vorgeworffen. Verschmâhete Majestât in dem 3. Buch auff der 417. Seiten.

„V. 21. Die Zeugen wider Hewlet / bekrâfftigten daß sie den „Nach-mittag darauff (nach des Kônigs Tode) mit dem ge- „meinen Scharff-richter geredet: Welcher gesaget: er danckte „GOtt / daß er diß greuliche Mord-Werck nicht verrichtet / „welches man zwar begehret daß er es thun sollen / er hâtte „es aber nicht gethan / ja nicht umb tausend Pfundt Sterlings „thun wollen. Verschmâhete Majestât in dem III. Buche auff der 421. Seiten.

V. 25. Was auch Axtel. Er ward beschuldigt unter andern daß er zu dem Obristen Hunck als er den Machtbriff vor dem Scharff-Richter nicht unterschreiben wollen / in Cromwells „Kammer gesagt: Ich schâme mich umb deinetwegen / daß du „itzund da wir so nahe sind in einen sichern Hafen zu lauf- „fen / die Segel einzihest / ehe wir das Ancker ausgeworffen. Eben daselbst auff der 419. Seiten.

„V. 36. Ich spûr entging. Seine Worte sind gewesen. Er wird „alles wider mit Blutte fârben / wann wir sein Blut nicht ver- „gissen. Eben daselbst auff der 418. Seiten.

„[443] V. 47. Vnd Kirchen-Geld. Als etliche sich von uns zu „erst auffmachten vor das Parlament zu gehen / das thaten „die Vorschlâge und Ordnungen der Herren und Gemeinden „im Parlament Geld und Silber-Werck einzubringen. Verant- „wortung der Diner des Evangelii in dem Engellândischen „Memorial auff der 73. Seiten.

V. 53. Disen Namen / Abgott / und Barrabas hat Hugo offt
dem Könige zu geben pflegen. Besihe den 10. Klag-Punct 30
wider Hugo Petern.

V. 67. Der Rath die Vollmacht. Frantz Hacker ward beschul-
„diget / daß er den Befehl Briff dem Bluthunde der den Mord
„mit eigner Hand verrichtet / eingehåndiget. Verschmåhete
„Majeståt III. Buche auff der 420. Seitten. 35

V. 77. Hir ist das Beyl. Ich bin glaubwürdig berichtet / daß
wenig Zeit vor Widereinsetzung König Carls des II. gewisse
reisende den Hugo Petern in Engelland ersuchet / bey welchen sie in demselbigen Gemach / darinnen er die Fremden
vor sich zu lassen gewohnet gewesen / ein sehr grosses Beil in 40
roten Duppeldaffend eingewickelt hangend gesehen.

V. 201. Die sich hatt in den Raub. Vil hatten sich gespitzet
auff die Gütter und Einkommen der Bischoffe / welche hernach die Independenten zu sich gezogen.

V. 215. Mehr Anspruch. Sintemal Er ein geborner Schotte. 45

V. 237. Well und Wind. Der herrliche Sig über die Spanische
unerhörete Schiffsmacht so wider Engelland in dem 1588.
Jahr ausgerüstet; rührt nechst GOtt mehrentheils dannen-
her / daß die Engellånder sich der Winde wol zu gebrauchen
gewust welche den Spaniern damals gantz zu wider gewesen. 50
Besihe Cambden. in dem III. Buche in den 1588. Jahre; Gro-
tium in den Niderlåndischen Geschichten in dem 1. Buch.
Thuanum, Stradam, und andere.

V. 317. Da auch des Adels. Hugo wird beschuldiget daß er
„gesaget / eher würde Engelland nicht Ruhe haben / es wåren 55
„dann 150. oder LLL. abgethan / nemlich Lords, Levits, Law-
„yers, daß ist die Herren / die Geistlichen / die [444]
„Rechtsgelehrten. Besihe die Klage-puncte. §. 5. Verschmå-
„hete Majeståt in dem III. Buche auff der 417. Seiten.

V. 365. Die Eltesten oder Presbyteri. Von deren Vrsprung 60
und Ankunfft in Engelland Cambdenus ausführlich schreibet in dem IV. Theil der Geschichte Elisabeth bey dem 1591.
Jahre / und schleust selbige denckwürdige Erzehlung mit di-
„sen weitaussehenden Worten: Regina haud ignara suam

„authoritatem per Episcoporum latera in hoc negotio peti
„adversantium impetus tacitè infregit & Ecclesiasticam juris
„dictionem illaesam conservavit, auff der 584. Seiten.

V. 381. Nach dem Traur-gerüste. Hugo Peter ward beschul
„diget / daß er denselbigen Morgen / da man dem König ent
„haubtet auff dem Mord-gerüste gewesen / und vil Ding
„bestellet. Verschmähete Majestät III. Buch auff der 417
Seiten.

V. 481. Als Hotham. Zu Hulle hatte der König ein Zeug
„Hauß von allerhand Munition / solche in den letzt-erhobe
„nen Krige wider die Schotten zugebrauchen / verfertigen
„aber nach Auffhebunge des gemelten Krigs diselbige alld
„bewahren / lassen.

„Diser Stadt nun gedachte er sich zu versichern / und sein
„Waffen und Ammunition zu Beschützunge seiner eigene
„Person sich zu bedienen; als er aber vor die Thüren der Stad
„kame / ward ihme von Sir John Hotham / welcher auff Ver
„ordnunge des gemeinen Parlaments selbigen Ort in Ver
„wahrung genommen / der Einzug verwegert. Bericht vo
„König Carls Leben und Tode auff der 66. Seiten. Hotham
„fil auff Ersuchen des Königs ihn und seine zwey Söhne ein
„zulassen weigerlich / und hilt also Hull vor seine Majestä
„gegen den König / welches keine Zeiten als die es selbst ge
„sehen / glauben sollen / in Bewahrung. Gleichwol / als er si
„eine gutte Weile vor dem Thore in heßlichem Regen-Wette
„verzappeln lassen / begünstigte er noch endlich die zwe
„Königliche Söhne / als Kinder / daß sie die Stadt zu bese
„hen / hinein kommen möchten. Verschmähete Majestät auf
der 30. Seiten des ersten Buchs. Artig genug / wenn es ei
Narren-Spill [445] gewesen / oder man des Plautus zwey
fachen Amphitruo nachähmen wollen. Der König schreibe
„hirvon in Icone. Cum ex Hulla excluderer; visum est prim
„facie, tam insolens facinus & aperta obseqvii detrectatio
„ut ipsi mei inimici vix auderent tanqvam suum agnoscer
„c. 8. Welche Betrachtung / wie auch das gantze Buch meh
denn würdig / daß es wol gelesen / und recht erwogen werde

Massen der Kônig disen seinen ersten offentlichen Feind / als
er nachmahls neben seinen Sohne von eben disen / denen er
hirinnen gedinet / wegen eines Argwohns offentlich zu Londen hingerichtet / selbst beklaget.

V. 490. Grampens Hôhen. Mons Grampius ist das Gebirge 105
so in Schottland die Caledonischen Wâlder theilet. Besihe
Cambd. und andere Geographos.

"V. 616. Qvoniam Parlamentum abrogata Hierarchia Epis-
"copali non statim novam Ecclesiae gubernationem con-
"stituit; (qvod propter Civile bellum & varias Senatorum 110
"Sententias fieri non potuit) hinc libertas cuilibet conscien-
"tiae relicta, qvae mox in licentiam & sectas qvam plurimas
"degeneravit. Nam velut aggeribus ruptis universam Angliam
"diversae Religionum opiniones inundarant: ac qvot fere
"capita, tot sententiae erant, qvisqve sibi in fide & Religione 115
"Dux & Autor. Ita factum, ut plurimi vana commenta sua
"pro fidei Articulis publicarent, ac tum demum sanctissimos
"se arbitrarentur, ubi qvam longissime ab omni Ecclesiastico
"ordine recessissent. Stat. Eccles. in Ang. Wallia, Scotia. Hi-
bern. §. 8.   120

V. 675. Wie offt hat Cromwel. Es erzehlen unterschidene /
das Cromwel / wenn er befragt worden / ob er sich nicht er-
innerte daß er so offt versprochen den Kônig weder an seinem Leibe / Stande noch Cron anzugreiffen / geantwortet; daß
dises alles wahr. Ja er trûge selbst GOTT des Kôniges Heil 125
und Leben in seinem Gebete vor / befinde aber durchauß das
der innere Geist in Ihm durch Gôttliche Krafft darwider
stritte.

[446] V. 707. Zwey Drittel / von der grossen Menge der
Richter / welche fast ûber Hundert und Funfftzig sich er- 130
strecket / sind bey der virdten Verhôre nur Siben und sechs-
zig erschinen. Der Befehl die Außfûhrung des Vrtheils
betreffend ist unterzeichnet von acht und funfftzig Hand-
schrifften.

V. 730. Daß der Schluß zu Wicht. Die beyden Hâuser hatten 135
zu Wicht fast mit dem Kônig geschlossen / als er von dannen

durch das Heer hinweg geführet / und dem Gerichte vorgestellet ward.

V. 736. So schätzt ihr unser Blutt. Es war der Auffrührer Vorwenden / wenn man dem Könige alles nachgeben wolte: Worzu hätte dann ihr Sig und so vil Bluttvergissen gedinet: Ob schon in dem Gegentheil der fromme und eingeklämmete Fürst mehr von seinem Recht nachgelassen als jemand hoffen können. Besihe die Erklärung so unter dem Namen des Hauses der Gemeine in dem Parlament von Engelland außgegeben / Warumb sie die Fridens-Handelung mit dem Könige auff der Insel Wicht abgebrochen. In dem Engelländischen Memorial auff der 163. 164. und folgenden Seiten.

V. 740. Wer bürgt. Mit diser Außflucht hat Cromwel alle die vor des Königes Leben angehalten abzuweisen pflegen / massen ich aus einem Hoch-durchläuchtigen Munde vernommen / und wird solche ebenfals in vorerwehnter Erklärung eingeführet.

V. 750. Was geht es ander an. In dem Außschreiben des Parlaments / in dem Sabbath Martii des 1646. Jahres außgegeben / wird geschlossen. Vnd nach dem sie sich nicht haben bemühet / noch vorgenommen sich zu bemühen mit den Anschlägen oder Regirung einiger anderer Königreich und Stände / oder einig Leid und Anreitzung ihren Benachbarten anzuthun / mit welchen sie begehren vollkömmlich zu erhalten alle billige Correspondentz und Freundschafft / so sie ihnen gefällig ist / und sie bleiben in ihren Gräntzen / zu dem Wercke diser gemeinen Regirung / und dem Anhang darzu gehörig / welches ihnen angetrauet ist / und gevollmächtiget mit Bewilligung alles dises Volcks dessen vorgestelte Personen sie sind:

„[447] So behalten sie sich auch zuvor alle dergleichen billiche
„und rechtmässige Handlungen ausserhalb Landes / und daß
„die jenigen die es nicht angehet / sich nicht wollen bemühen
„mit den Sachen in Engelland / die sich in geringsten nichts
„mit den ihrigen bemühen.

V. 765. Man wegert ihm Verhör. Besihe die virdte und letzte

Vorstellung des Königs / in welcher er so flehentlich ersuchet noch einmal offentlich gehöret zu werden. Welches ihm
wie vor diesem / abgeschlagen. Massen er dann stets / wenn 175
er seine Haubtgründe vorbringen wollen gehindert und weg-
geführet / weil er sie nicht vor genugsam Gevollmächtigte
erkennen wolte.

In der Virdten Abhandelung.

V. 65. Der König must es thun. Nunquam sane schreibet der
„König dissertatione 2. tam difficili temporum statu conflic-
„tabar, quam in infelicis illius Comitis discrimine, cum inter
„aestus conscientiae meae fluctuans & NECESSITATEM,   5
„ut qvidam ajebant importunis populi mei flagitationibus
„auscultandi, Obtemperavi eorum consilio, qvi (in me animo
„ut opinor benevolo) suadebant ut tutiora in praesens qvam
„qvae justiora sunt visa eligerem, atqve adeo Externae inter
„homines Paci, internam Conscientiae Rectitudinem coram 10
„DEo postponerem.
V. 66. Recht so / seht wie das Volck – Nec fefellit, fähret der
„König fort / eventus Dei Justitiam & qvae sunt tristissima,
„satis mundo declararunt, qvam fallax est illud, satius unum
„interire vel innoxium, qvam populi offensam, vel ruinam 15
„accersere. Nihil enim mihi atrocius evenisset (si asserta Straf-
„fordii Innocentia, & Justissimis Conscientiae dictatis ob-
„temperans legem illam Damnatoriam obfirmare recusassem)
„qvam qvae postea minore cum solatio perpessus sum Ipse,
„& Populus meus, postqvam ingratis qvorundam obtestationi- 20
„bus tam crudelem gratiam indulsissem. [448] Qvin & illud
„etiam observavi eos qvi Authores mihi erant suis consiliis ut
„sententiam illam ratam facerem, nullam aliam mercedem
„Gratiosi officii qvam Direptiones Vexationes & omne genus
„contumelias ab illo ipso, qvem captabant populo, retulisse: 25
„Illo solum minime omnium laeso, qvi id sedulo suadebat ne
„refraganti conscientiae assentirer. Vnd thut darzu: Nec
„qvicqvam magis deinceps firmavit animum meum adversus

„aliorum violentias (qvi iisdem me artibus adorti sunt) ne in
„Acta consentirem Conscientiae meae adversantia, qvam
„acres illae puncturae & stimuli qvae ob rem Straffordia-
„nam usqve adhuc haerebant.

V. 67. Als Wentwort umb den Tod. In seinem Briff an den
König gegeben in dem Gefångnúß den 4. Maij des 1641. Jahres. Engell. Memoriale auff der 8. Seiten.

V. 77. Mein Fúrst man fordert. Frantz Hacker ward beschul-
„diget / daß er den König aus des Obersten Thomlinsons
„Hånden empfangen. Verschmåhete Majeståt III. Buch auff
„der 420. Seiten.

V. 85. Wann grosser Vorsatz. Dises sind mehrentheils des
Königs selbst eigene Worte / genommen aus dem Auffsatz
den er einem getreuen Diner hinterlassen / als er von Wicht
hinweggefúhret. Massen sie auch dem Engellåndischen Memorial einverleibet / von der 50. Seiten an biß zu der Vir
und Funfftzigsten.

V. 225. Nunmehr hab ich genung. Daß dise gantze Rede aus
des Meister Peters eigenen Worten genommen / erweiset der
15. und 16. §. seiner Peinlichen Anklage.

„V. 245. La Dama cosi per troppa accortezza di non confi-
„dare di hauer lapromessa de i suoi, resto ingannata di se
„medesima, & in vano tenta la salute del Re. In tanto ella
„mando piu volte un paggio ad informarsi, se si mutauano li
„Reggimenti della Guardia de Rè udendo chenò tanto sene
„afflisse, che addolorata non tardo molto a terminare cosi
„gran trauaglio, perche se ne enfermo & vi lascio la vita. Il
„Fairfax anch' egli non ardiua di ritornare a casa per non
„esser improuerato, che non hauesse saputo scruire [449] alle
„Moglie. Dises sind die Worte des Conte Bisaccioni in seiner
Geschicht-Beschreibung des Bürgerlichen Kriges in Engelland / gedruckt zu Venedig durch Francesco Storti in dem
1655. Jahre; Lautet auff deutsch: Also blib die Frau durch
gar zu grosse Bescheidenheit / in dem sie sich nicht unterstan-
den zu entdecken / daß sie das Wort von denen ihr Zugetha-
nen schon weg håtte / von sich selbst betrogen / und unter-

wand sich vergebens den König zu retten. Indessen schickte 65
sie mehrmals einen Edelknaben umb zu vernehmen ob die
Heere so den König verwahren solten / verändert oder abge-
löset würden; Vnd als sie das Widerspill erfahren / betrübte
sie sich so hoch darüber / daß sie in höchster Wehmutt sich
nicht lange verweilete / so grosse Hertzens Schmertzen zu 70
schlissen / sintemal sie darüber Bettlägerig wurd und ihr Leben liß. Fairfax selbst dorffte es nicht wagen nach Hause zu
kommen / weil er sich befahrete / es würde ihm verwisen
werden daß er seiner Gemahlin nicht hätte wollen zu willen
seyn. Welche Worte disen und folgenden Eingang erläutern 75
werden.

In der Fünfften Abhandelung.

V. 45. *Verlacht den Vbermutt.* V. 49. *Man quält sein Ein-*
samkeit. Dise und vilmehr abscheuliche Händel werden weit-
läufftiger erzehlet in dem Buche dessen Auffschrifft Clamor
Sanguinis Regii.   5
V. 55. *Ein toller Bub.* Erschreckliche Leichtfertigkeit! Welche
dennoch damals ihr Lob verdinet / wie in itzt genentem Buche zu sehen. In der Beschreibung von König Carls Leben
und Tode wird es mit folgendem bestättiget. Es wird refe-
„riret, daß / als der König wider vom Gericht kommen Ihm 10
„einer der Soldaten gantz Barbarischer Weise ins Gesichte
„gespyen / und einen Hauffen Verweiß Worte gegeben. Ob
„nun wol seine Majestät dero gewöhnlichen Sanftmut nach /
„solches geduldig gelitten / so hat doch die Göttliche Rache es
„nicht also ungestrafft hingehen lassen / indeme diser Elen- 15
der [450] kurtz hernacher wegen dessen / daß er bei der Armee eine Meuterey anrichten wollen / fürm Krigs-Rechte zum
tode verdammet / und zu Londen auff S. Pauli Kirchhoff
offentlich harquebusiret worden / auff der 110. Seiten.
V. 61. *Daß sein Erretter lebe.* Das übrige des Sonnabends 20
brachte Juxton unter andern Gottseligen Pflichten mit Him-
lischen Anmerckungen zu / die er dem König über folgende

Worte des 19. Haubtstückes aus dem Büchlin Hiobs vortrug.
Ihr habt mich nun zehenmal gehöhnet. v. 3. 4. 5. biß zu dem 29.
Verschmähete Majestät. I. Buch auff der 115. 116. 117. Seiten.
V. 63. Der Bischoff stelt ihm vor. Noch selbigen Abend hat
Juxton eine übermassen gelehrte und herrliche Predigt vor
dem Könige über die Wort des heiligen Paulus aus dem Sen-
debriff an die Römer in dem 16. Spruch der andern Abthei-
lung gehalten. Auff den Tag da GOtt das Verborgen der
Menschen durch JEsum Christ richten wird / laut meines
Evangelii.
V. 68. Ihm vorschläg. Dises erzehlet weitleufftiger die verschmähete Majestät / in obgemeldeten Orte.
„V. 104. Das Kirchenbuch. Nach dem nun diser Fatalische
„Morgen herfür blickte / laß der Bischoff von Londen / wel-
„cher ihme in disem beklåglichen Zustande auffwartete / das
„Morgengebett / und für die erste Lection das 27. Capitul
„des Evangelisten Matthaei, referirende die Historie von un-
„sers Seligmachers Leiden unter Pontio Pilato / durch Antrib
„der Hohenprister / Schriftgelehrten / Phariseer und Eltisten
„des Jüdischen Volckes. Anfänglich meinte der König / daß
„der Bischoff dises Capitul darumb erwehlet / weiln es sich
„gar fein auf seinen gegenwertigen Zustand schickte; als er
„aber vernam / dz es das jenige Capitul wäre / welches die
„Kirche für disem Tag im allgemeinen Calender geordnet
„hatte / scheinete es / daß er darob eine sonderbare Vergnüg-
„ligkeit empfande. Carls Leben und Regirung auff der III.
Seiten. Denen welchen die Engellåndischen Kirchen Gebräuche unbekant dine zur Nachricht daß von Königin Elisabeths
Zeiten an ein gewisses Buch [451] nach welchem die Kirchen-
Gebräuche / Ablesung der Schrifft und Gebete / Tag vor Tag
einzurichten / durch das gantze Königreich gangbar gewesen.
Dises wurd die Liturgi oder das allgemeine Gebetbuch genennet / vermöge dessen unter andern die gantze heilige
Schrifft inner Jahres Frist offentlich von Anfang bis zu Ende
abgelesen ward. Nemlich jdweden Morgen ein Stück aus dem
alten / ein anders aus dem Neuen Testament wie sie nach

einander folgeten. Diesem Buche widersatzten sich die Preßbyterianer durchauß / verordneten an dessen Stelle ein Di- 60
rectorium, und ward den Geistlichen frey gestellet nach ihrem
Gutachten zu beten und zu lehren / woraus in kurtzem allerhand Verwirrungen erwachsen / zumal man des Directorii in
kurtzem gleichsfals überdrüssig worden / ja sehr vil sich er-
eigneten / welche das Gebet des HErren selbst verworffen. 65
Hergegen hilt der König beständig über die Liturgia, litte
derohalben grosse Verfolgungen und Widerwertigkeiten /
verthädigte diselbe in allen Zusammenkunfften / begehrete
sich derselbigen in seinem Gefängnüß in Holmbeij zu gebrauchen. Worüber das Parlament seinen Geistlichen / die er 70
zu sich gefodert den Zugang verweigerte. Entlich schrib er
vor die Liturgi wie in seinem Ebenbild aus der XVI. XVII.
XX. XXIII. Betrachtung erhället. In diser seiner letzten Zu-
bereitung zu dem Tode / gebrauchte Juxton dises Buch; worüber sich zugetragen / das eben die Geschicht des Todes des 75
Königes aller Könige auff den Tag abzulesen eingefallen / an
welchem diser König dreyer Königreiche von seinen Vnterthanen ermordet.

V. 149. In wilden Insuln. Es wird gezihlet auff das gemeine
Sprichwort: Omnes Insulani mali, pessimi autem Siculi. 80

V. 157. Poleh. Wer diser sey / ist vilen unverborgen. Ich
schone noch des eigenen Namens. Er hat bereits sich selbst
abgestrafft / und seinen Richter erlitten.

V. 209. Steig Dorißlar vermummt. Der Conte Gualdo Prio-
rato lib. II. delle Revolutione di Francia so zu [452] Vene- 85
dig in dem 1655. Jahr außgegeben / gibet vor / der ander Ver-
mummete so nebenst dem Hewlet auff dem Mord-gerüste
gestanden / were der Dorißlar gewesen. Essendo schleust er /
nach dem erzehlet wassermassen er ins Gravenhag von Ver-
„mummeten nidergestossen worden / Egli Stato uno de prin- 90
„cipali Autori della morte del Re, & uno ch'oltre all'essere
„nel numero de Giudici, monte di più mascarato sul palco

69 *Holmbeij:* Holmby House.

„dell essecutione. Er war einer aus den vornehmsten Vhrhebern des Königlichen Todes / und ausser dem / daß er einer aus der Zahl der Blut-Richter gewesen / ist er noch darzu vermummet auff das Mord-gerüste gestigen / auff der 154. Seiten.

V. 285. Man wird uns. Mir würde unschwer gefallen seyn dem Könige eine andere Rede anzudichten; oder seine eigene kürtzer einzuziehen / oder auch gar / wie sonsten in den Traur-Spilen gebräuchlich / dises alles durch einen Boten vorzubringen: Ich habe aber darvor gehalten / man könne dises bluttige Jammer-Spil nicht beweglicher abbilden / als wenn man disen abgekränckten Fürsten / also dem Zuseher und Leser vorstellete / wie er sich selbst mit seinen eigenen Farben außgestrichen / in dem Anblick des Todes / da alle Schmincke und Gleißnerey ein Ende nimt / und als Dunst verschwindet.

V. 371. Wer rührt das grimme Beil. Diser ist Hacker gewesen / massen aus seiner Anklag erhället / da ihm vorgeworffen wird / daß er bey Außführung diser greulichen That mit auff dem Mord-gerüste gewesen / das Mord-Beil selbst in seinen Händen gehabt / u. d. g. Verschmähete Majestät III. Buch auff der 402. Seiten.

V. 461. Stets indenck meiner Worte. Juxton ist nach etlichen Tagen vor das Vnterhauß gefordert / welches durchauß wissen wollen / was dises dann vor Worte gewesen: als er hirauff etwas inne gehalten / und idweder mit Verlangen erwartet / was er doch vorbringen würde: Hat er vermel[453]-det es hätte der König ihm hart eingebunden / seinem Eltern Sohn Fürst Carlen dem II. anzumelden / daß er durchauß seinen Tod an keinem einigen Menschen rächen solte. Massen solches der Clamor Sanguinis und andere bezeugen.

V. 489. Da ligt des Landes Heil. Ich schlisse mit dehnen denckwürdigen Worten / welche der Beschreiber des Lebens und „Todes des Königs Carls sich gebrauchet. Die Glider der bee-„den Parlamente hatten ihm offtmals in ihren Bitt-Schriff-„ten / Bottschafften und Declarationen verheissen / daß sie

„ihn zum grossen und glorieusen König machen wolten; wel-
„ches sie nun auch gehalten / und seine vergång- und be- 130
„schwer-liche Dornen Crone / (so sie zu erst für Ihme be-
„reitet) in eine unverweßliche Ehren-Krohn veråndert.

Zum Text

Der Text des vorliegenden Neudrucks beruht *nicht* auf dem Erstdruck des *Carolus Stuardus* in der ersten Ausgabe der gesammelten Werke aus dem Jahre 1657 (A), sondern auf dem ersten Abdruck der überarbeiteten Fassung des Dramas in der Ausgabe der gesammelten Werke von 1663 (B), der Ausgabe letzter Hand:

ANDREAE   GRYPHII | Freuden | und | Trauer-Spiele | auch | Oden | und | Sonnette. | In Breßlau zu finden | Bey | Veit Jacob Treschern / Buchhåndl. | Leipzig / | Gedruckt bey Johann Erich Hahn. | Im Jahr 1663.

(Exemplar der General Library, University of California, Berkeley, das in zwei Bänden neu gebunden ist. Sign.: PT 1734 A 17 1663 v. 1 / v. 2 Case B*)

Dem *Carolus Stuardus* gehen in dieser Ausgabe voran: (Bd.I:) *Leo Armenius, Catharina von Georgien, Die Heilige Felicitas* und *Cardenio und Celinde.* Es folgen: *Majuma, Kirchhoffs-Gedancken,* (Bd. II:) *Oden* (I–III), *Oden* (IV), *Sonnette* (I–IV), *Epigrammata, Der Weicher-Stein* und ein sechs Seiten umfassendes Druckfehlerverzeichnis. Die Ausgabe hat bis S. 777 – einschließlich *Sonnette* (IV) – durchlaufende Paginierung, danach neue Paginierung (es folgen insgesamt noch 87 Seiten). Format 8°.

Gliederung von *Carolus Stuardus*:

[Yv]ʳ = [332]	Titelblatt (vgl. Faksimile S. 3)
[Yv]ᵛ	leer
333–335	Widmung
336–338	Epitaphium Cromwellii
339–340	Personenverzeichnis
341–425	Text des Dramas
426–453	Kurtze Anmerckungen

B wurde 1698 in der von Christian Gryphius besorgten post-
humen Gesamtausgabe der deutschsprachigen Werke wieder
abgedruckt. Die textlichen Varianten gegenüber der Ausgabe
von 1663 beschränken sich auf neue Druckfehler.
In dem vorliegenden Neudruck wurde die Orthographie des
Originals gewahrt. Die im Druckfehlerverzeichnis des Dich-
ters aufgeführten Errata sind bei der Textrevision berücksichtigt. Wo das Druckfehlerverzeichnis orthographisch gegenüber dem Text abweicht, wurde die Schreibweise des
Textes vorgezogen. Die aufgrund des Druckfehlerverzeich-
nisses vorgenommenen Änderungen sind in der folgenden
Liste durch den Zusatz (Dr.) gekennzeichnet. Alle anderen
Änderungen wurden vom Herausgeber vorgenommen. Es
handelt sich dabei entweder um Druckfehler, die Gryphius
übersehen hat, oder um sinnklärende Korrekturen der oft
verwirrenden Interpunktion. Eine Normalisierung wurde
jedoch nicht erstrebt.

Vorrede
47 toedium > taedium – 56 (Dr.) ambages Deorum > ambages, Deorum – 57 (Dr.) fabularum > fabulosum – 59 (Dr.)
furcatis > furentis

Epitaphium Cromwellii
26 (Dr.) Vestem > Pestem – 68 Fulgurls > Fulguris

Personenverzeichnis
4 f. (Dr.) Stafforto > Straffort – 40 (Dr.) Dorißlav > Dorißlar – 46 Die Syrenen > Der Syrenen /

Die Erste Abhandelung.
20 (Dr.) Albien > Albion – 51 (Dr.) beyder > beyde –
56–59 Die Personennamen wurden ergänzt (57–59 Dr.) – 57
(Dr.) Albien > Albion – 77–79 Die Personennamen wurden
ergänzt – 104 (Dr.) Ehrendunst > Ehrendurst – 120 (Dr.)

beide > beiden – 150 (Dr.) zeugen > seine – 172 (Dr.)
Freund > Feind – (Dr.) vor > von – 183 F. > F a i r f. –
199 (Dr.) ihren > ihrem – 211 Knie > Knie: – 221 Leib-
herr > Leibheer – 255 (Dr.) Aag > Agag – 273 fall' >
fall' / – nach 312 *Gegen-Chor* > *I. Gegen-Chor* – 313 2.
Was > Was – 335 (Dr.) versprochen > verbrochen – 361
(Dr.) Welche > Weicht

Die Ander Abhandelung.

6 (Dr.) Senckt > Sinckt – 12 entbrant > entbrant. – 29 (Dr.)
Wen > Wer – 47 Heil was > Heil. Was – 54 (Dr.) Insel >
Infell – 101 (Dr.) muß > must' – dinen > dinen. – 122 (Dr.)
ein > dein – 134 wacht > wacht / – 149 (Dr.) Wach >
Rach' – 183 wil! > wil / – 241 Blut > Blut! – 246 beschweret > beschweret. – 277 der > Der – 279 stehn? > stehn / –
296 Geist / > Geist; – 339 stund > stund; – 341 (Dr.)
schlissen > schissen – 346 lånden > lånden! – 366 Bild >
Bild / – 438 ntmmermehr > nimmermehr – 440 kan > kan. –
481 (Dr.) ber > der – 506 erblassen > erblassen. – 524 (Dr.)
Richmand > Richmond – 530 (Dr.) blossem > blassem

Die Dritte Abhandelung.

14 (Dr.) ihm > ihn – 62 (Dr.) g'ringster > grimster – 100
flihn? > flihn. – 107 I. wurde ergänzt – 150 dann > dann /
– 156 (Dr.) I. wurde ergänzt – 210 Kõnig > Kõnigs – 228
sey. > sey? – nach 260 In der Szenenüberschrift wurde der
Name Cromwells ergänzt – 286 mich > nicht (A) – 301 ander > andre – 324 wenn > Wenn – 329 (Dr.) mehr > ehr –
349 (Dr.) dir > die – 353 rahten > rahten. – 357 (Dr.)
schrecken. > schrecken – 361 macht > Macht – 372 schõn' erweget > schõn'. Erweget – 385 (Dr.) feur' > starr' – 387 heilgem > heilgen – 389 Der / der > Der / den – 403 (Dr.) nach
> noch – 450 Sturm > Sturm / – 482 Egdehill > Edgehill –
527 (Dr.) Jocobs > Jacobs – 531 (Dr.) versinckt > versinck – 543 Glutt. > Glutt – 560 (Dr.) Der > Dort – 617
verstoben? > verstoben. – 644 Gewin. > Gewin – 672 be-

dacht? > bedacht. – 689 (Dr.) noch > offt – 694 gebrochen? > gebrochen. – 700 kundt? > kundt. – 707 ein? > ein. – 717 G e s a > G e s a. – 761 G e f a. > G e s a. – 769 theuer: [?] > theuer? – 775 (Dr.) Versprechen > Verbrechen – 778 C r o m > C r o m. – 834 verehrt > verehrt / – 835 leiten? > leiten. – 836 hôrt. > hôrt /

Die Virdte Abhandelung.

1 grüssen > grüssen / – 13 Tod. Und > Tod / und – 15 spinnt. > spinnt / – 17 erwacht / > erwacht: – 18 schweben. > schweben / – 19 (Dr.) Stadt auff Stadt > Stat auff Stadt – verhetzt. > verhetzt / – 27 zuschmehn. > zuschmehn / – 48 stehn / > stehn. – 77 (Dr.) darin > darein – 89 hir und hir und dar > hir und dar – 104 (Dr.) dem > den – 155 (Dr.) ihm > ihn – 162 schwebet / > schwebet; – 177 erweckt / lass't > erweckt. Lass't – 199 abgewebt? > abgewebt / – 211 ihrem > ihren – 267 klopfft > klopfft. – 268 liß. > liß? – 279 O b r > O b r. – Fall;! > Fall! – 310 (Dr.) nicht > noch – 320 (Dr.) Rachir > Rachgier – 343 (Dr.) Er > Es

Die Fünffte Abhandelung.

16 (Dr.) dem > den – (Dr.) mir > nur – 36 (Dr.) schütterndem > schütterndem – 44 G r a f f. wurde hinzugesetzt – 48 (Dr.) leichten > lichten – 56 schweig > schweigt – 73 (Dr.) Gott/Dinst > Gottsdinst – 90 Lehren > Lehren: – 97 Füssen / > Füssen. – 99 Mutt > Mutt. – 100 Erforderte > Er forderte – 103 (Dr.) Verwunderungs wehrt > Verwundrungs wehrt – 139 (Dr.) beschmißen > beschmitzen – 153 gönnen. > gönnen – 167 Hals-gericht? > Hals-gericht! – 173 (Dr.) sehen > stehen – 178 (Dr.) sehn > stehn – 205 (Dr.) auch > auff – (Dr.) Stande > Sande – 211 (Dr.) Seuche > Seuchen – 213 (Dr.) blosse > blasse – 276 (Dr.) die > der – 319 fil. In > fil in – 346 erwecken. > erwecken – 354 (Dr.) Thal > Stahl – 367 komm' > kommt – 462 Orte. >

Orte – 469 gesetzet? > gesetzet. – 490 erheben. > erheben –
535 Kom > Komm

Kurtze Anmerckungen

In der Ersten Abhandelung

25 V. 12. wurde ergänzt – 30 V. 99. > V. 98 – 58 Cromwel
Irreton > Cromwel, Irreton – 77 V. 335. > V. 345 – 86
(Dr.) Britus > Brito

In der 2. Abhandelung.

11 V. 9. > V. 7. – 12 (Dr.) Berniae > Bernia – 21 (Dr.)
Verächter > Verrähter – 38 (Dr.) essent. > essent – 50
V. 111. > V. 101. – 51 f. (Dr.) Tod p. 38 und auff > Tod
auff – 75 (Dr.) welchen hernach > welcher hernach – 94
(Dr.) gedachten seines Raths > guttachten seines Raths –
132 cIɔ Iɔc CXVI. > cIɔ Iɔ CXVI. – 143 nechstfolgende >
nechstfolgenden – 219 V. 144. > V. 152. – 227 (Dr.) dehnen auch Thuanus > dem auch Thuanus – 236 f. (Dr.) ohn
des ander > ohn des andern – 239 (Dr.) cIɔ Iɔc LXVIII. >
cIɔ Iɔ LXVIII. – 261 (Dr.) causa praestabunt > causa praestabant – 269 V. 169. > V. 171. – 282 V. 199. > V. 198. –
284 V. 102 > V. 199. – 286 (Dr.) Listertienser > Cistercienser – 290 verschiden > verschiden. – 292 V. 203. > V.
201. – 297 Buch Bzovius > Buch. Bzovius – 323 (Dr.) ter-
ris > tetris – 324 f. (Dr.) adhibitos > adhibitis – 334
V. 204. wurde ergänzt – 344 V. 209. wurde ergänzt – 349
V. 201. > V. 210. – 351 f. Grabschifft > Grabschrifft –
358 f. 164. Jahres > 1646. Jahres – 366 239. > V. 239.
– 400 V. 505. > V. 503. – der kein Tag > die kein Tag

In der III. Abhandelung.

13 Axel > Axtel – 23 Kirchengutt > Kirchen-Geld – 45 V.
515. > V. 215. – 68 V. 481. > V. 381. – 106 Caledanischen
> Caledonischen – 131 siud bey > sind bey – 139 V. 737. >
V. 736. – 149 Ver-bůrgt > Wer bůrgt

In der Virdten Abhandelung.
40 V. 78. > V. 85. – 49 V. 242. > V. 245.

In der Fünfften Abhandelung.
12 gegeben > gegeben. – 24 (Dr.) gehöret > gehöhnet – 35
V. 100. > V. 104. – 48 f. (Dr.) auff der 3. Seiten > auff
der III. Seiten – 69 (Dr.) Holmteii > Holmbeij – 80 (Dr.)
Insulani > Insulani mali – 109 V. 372. > V. 371.

Im Gegensatz zum Original unterscheidet der Neudruck zwischen I und J. Das vv in der Antiqua des Originals wurde
als modernes w gesetzt (z. B. in Cromwell oder Hewlett).
Die Ligaturen Æ, æ, œ des Originals wurden immer zu Ae,
ae und oe getrennt. ʒ ist immer durch r, ſ immer durch s wiedergegeben. Abkürzungen der lateinischen Nachsilbe -que
wurden nur im Falle von Regimenque (119, 36) und plerique
(119, 38) – beide im Original kursiv – aufgelöst. Folgende Ab-
breviaturen mit Nasalstrich wurden aufgelöst: m̄ > mm bzw.
mb, n̄ > nn bzw. nd und ē > en. Unterschiede in der Schrift-
type des Originaltextes, z. B. Initialauszeichnung und Wie-
dergabe von Eigennamen und lateinischen, englischen oder
italienischen Zitaten, Wörtern oder Wortteilen durch Antiqua statt Fraktur konnten nicht beibehalten werden. Die
Seitenzählung des Originals wird in [ ] wiedergegeben. Auf
die Angabe der Bogensignaturen wurde wegen der durchgehenden Seitenzählung verzichtet. Die aktweise Verszählung
des Originals wurde übernommen und an zahlreichen Stellen
korrigiert (z. B. I, 315 ff., III, 5 ff. oder III, 90 ff.), Wid-
mung, Epitaphium Cromwellii und Personenverzeichnis wurden mit einer durchgehenden, Gryphius' Anmerkungen mit
einer aktweise durchgehenden Zeilenzählung versehen. In
der Interpunktion wurde die Virgel (/) des Originals trotz
des Antiquasatzes beibehalten. Ein Komma steht nur dort,
wo auch der Originaltext ein Komma enthält, und zwar nach
Wörtern in Antiqua.
Für die Anmerkungen des Herausgebers wurden die Anmer-

kungen der Ausgaben von Tittmann, Palm und Powell (1955
und 1964) fruchtbar gemacht. Ausführlichere Erklärungen
finden sich in Powells Ausgabe von 1955, auf die sich gele-
gentliche Hinweise in den Anmerkungen beziehen.

Literaturverzeichnis

Neudrucke

Andreas Gryphius: Dramatische Dichtungen. Hrsg. von Julius Tittmann. Leipzig 1870 (Deutsche Dichter des siebzehnten Jahrhunderts 4). [Der Band enthält den »Carolus Stuardus« in der Fassung von 1657 (A).]

Andreas Gryphius: Trauerspiele. Hrsg. von Hermann Palm. Tübingen 1882 (Bibliothek des Literarischen Vereins in Stuttgart 162). Photomechanischer Nachdruck Darmstadt 1961. [Neudruck von B.]

Andreas Gryphius: Carolus Stuardus. Edited with Introduction and Commentary by Hugh Powell. Leicester 1955. [Neudruck von B.]

Andreas Gryphius: Trauerspiele I. Hrsg. von Hugh Powell. Tübingen 1964 (Gesamtausgabe der deutschsprachigen Werke. Hrsg. von Marian Szyrocki und Hugh Powell. 4. Bd. Neudrucke deutscher Literaturwerke N. F. 12). [Der Band enthält beide Fassungen des »Carolus Stuardus«.]

Literatur zum ›Carolus Stuardus‹

Gilbert, Mary E.: ›Carolus Stuardus‹ by Andreas Gryphius. A Contemporary Tragedy on the Execution of Charles I. In: German Life and Letters, NS 3 (1949/50) S. 81–91.

Isler, Hermann: ›Carolus Stuardus‹. Vom Wesen barocker Dramaturgie. Phil. Diss. Basel 1966.

Powell, Hugh: The Two Versions of Andreas Gryphius' ›Carolus Stuardus‹. In: German Life and Letters, NS 5 (1951/52) S. 110–120.

Schöne, Albrecht: Postfigurale Gestaltung. Andreas Gryphius. In: A. S., Säkularisation als sprachbildende Kraft. Studien zur Dichtung deutscher Pfarrersöhne. Göttingen ²1968 (Palaestra 226). Durchgesehener Abdruck in: Gerhard Kaiser (Hrsg.), Die Dramen des Andreas Gryphius.

Eine Sammlung von Einzelinterpretationen. Stuttgart 1968, S. 117–169.

Schönle, Gustav: Das Trauerspiel ›Carolus Stuardus‹ des Andreas Gryphius. Quellen und Gestaltung des Stoffes. Bonn 1933.

Literatur zu Gryphius und seinen Trauerspielen allgemein (Auswahl)

Benjamin, Walter: Ursprung des deutschen Trauerspiels. Berlin 1928. Revidierte Ausgabe besorgt von Rolf Tiedemann. Frankfurt a. M. 1963.

Eggers, Werner: Wirklichkeit und Wahrheit im Trauerspiel von Andreas Gryphius. Heidelberg 1967 (Probleme der Dichtung 9).

Flemming, Willi: Andreas Gryphius und die Bühne. Halle 1921 (vorher: Phil. Diss. Marburg 1914).

Flemming, Willi: Die Form der Reyen in Gryphs Trauerspielen. In: Euphorion 25 (1924) S. 662–665.

Flemming, Willi: Andreas Gryphius. Eine Monographie. Stuttgart 1965 (Sprache und Literatur 26).

Fricke, Gerhard: Die Bildlichkeit in der Dichtung des Andreas Gryphius. Materialien und Studien zum Formproblem des deutschen Literaturbarock. Berlin 1933.

Geisenhof, Erika: Die Darstellung der Leidenschaften in den Trauerspielen des Andreas Gryphius. Phil. Diss. Heidelberg 1958 [Masch.].

Heckmann, Herbert: Elemente des barocken Trauerspiels. Am Beispiel des ›Papinian‹ von Andreas Gryphius. München 1959 (Literatur als Kunst).

Hildebrandt, Heinrich: Die Staatsauffassung der schlesischen Barockdramatiker im Rahmen ihrer Zeit. Phil. Diss. Rostock 1939.

Jöns, Dietrich Walter: Das ›Sinnenbild‹. Studien zur allegorischen Bildlichkeit bei Andreas Gryphius. Stuttgart 1966 (Germanistische Abhandlungen 13).

Kappler, Helmut: Der barocke Geschichtsbegriff bei Andreas Gryphius. Frankfurt a. M. 1936 (Frankfurter Quellen und Forschungen 13).

Lunding, Erik: Das schlesische Kunstdrama. Eine Darstellung und Deutung. Kopenhagen 1940.

Mannack, Eberhard: Andreas Gryphius. Stuttgart 1968 (Sammlung Metzler 76).

Powell, Hugh: Probleme der Gryphius-Forschung. In: Germanisch-Romanische Monatsschrift 7 (1957) S. 328–343.

Powell, Hugh: Gryphius, Princess Elisabeth and Descartes. In: Germanica Wratislaviensia 4 (1960) S. 63–76.

Rühle, Günther: Die Träume und Geistererscheinungen in den Trauerspielen des Andreas Gryphius und ihre Bedeutung für das Problem der Freiheit. Phil. Diss. Frankfurt a. M. 1952 [Masch.].

Schings, Hans-Jürgen: Die patristische und stoische Tradition bei Andreas Gryphius. Untersuchungen zu den Dissertationes funebres und Trauerspielen. Köln u. Graz 1966 (Kölner Germanistische Studien 2).

Schöne, Albrecht: Emblematik und Drama im Zeitalter des Barock. Zweite, überarbeitete und ergänzte Aufl. München 1968.

Steinberg, Hans: Die Reyen in den Trauerspielen des Andreas Gryphius. Phil. Diss. Göttingen 1914.

Szyrocki, Marian: Andreas Gryphius. Sein Leben und Werk Tübingen 1964.

Tarot, Rolf: Literatur zum deutschen Drama und Theater des 16. und 17. Jahrhunderts. Ein Forschungsbericht (1945 bis 1962). In: Euphorion 57 (1963) S. 411–453.

Vosskamp, Wilhelm: Zeit- und Geschichtsauffassung im 17 Jahrhundert bei Gryphius und Lohenstein. Bonn 1967 (Literatur und Wirklichkeit 1).

Wehrli, Max: Andreas Gryphius und die Dichtung der Jesuiten. In: Stimmen der Zeit 175 (1964) S. 25–39.

Windfuhr, Manfred: Die barocke Bildlichkeit und ihre Kritiker. Stuttgart 1966 (Germanistische Abhandlungen 15).

Wintterlin, Dietrich: Pathetisch-monologischer Stil im barok-
    ken Trauerspiel des Andreas Gryphius. Phil. Diss. Tübin-
    gen 1958 [Masch.].
Wolters, Peter: Die szenische Form der Trauerspiele des An-
    dreas Gryphius. Phil. Diss. Frankfurt a. M. 1958.

Nachwort

Als Andreas Gryphius in *Leo Armenius* und *Catharina von Georgien* weit zurückliegende Geschichte dramatisierte, wird er kaum geahnt haben, daß die Zeitgeschichte, die eigene Gegenwart ihm Ereignisse von solcher Eindringlichkeit und Transparenz vor Augen führen sollte, daß er sie als überzeitliches Geschehen von universaler Bedeutung würde interpretieren können: Am 30. Januar 1649 bestieg Karl I., König von Großbritannien, das Blutgerüst und wurde unter dem Schein der Gerechtigkeit hingerichtet. Die Nachricht von seiner Verurteilung und Hinrichtung ging wie ein Lauffeuer durch Europa und erschütterte die Gemüter.

Das Interesse Gryphius' mag besonders dadurch gesteigert worden sein, daß er bei seinem Studienaufenthalt in Holland in persönlichen Kontakt mit der Kurfürstin Elisabeth, der Nichte Karls I. und Gemahlin des »Winterkönigs«, Friedrichs V. von der Pfalz, getreten war.[1] Der andere Grund ist in der Staatsphilosophie und im politischen Bewußtsein des 17. Jahrhunderts zu suchen, wonach der König von Gott eingesetzt und ihm allein verantwortlich war: Während seines Studiums in Leiden war Gryphius mit dem französischen Philologen Claudius Salmasius befreundet, der die Partei der Stuarts ergriff und das göttliche Recht der Monarchie verteidigte. Die Anmaßung der Richtergewalt über einen Fürsten kam nach der Auffassung der Zeit der Anmaßung des göttlichen Richteramtes gleich. So heißt es auch im *Carolus Stuardus* im »Chor der ermordeten Engelländischen Könige« nach der ersten Abhandlung:

---

1. Vgl. Hugh Powell, *The Two Versions of Andreas Gryphius' ›Carolus Stuardus‹*. In: German Life and Letters, NS 5 (1951/52) S. 110.

HErr der du Fürsten selbst an deine stat gesetzet
Wie lange sihst du zu?
Wird nicht durch unsern Fall dein heilig Recht verletzet?
(I, 321 ff.)

Und der schottische Gesandte hält Cromwell entgegen: »Ein
Erb-Fürst frevelt GOtt / GOtt hat nur Macht zu straffen!«
(III, 761), ein Chiasmus, in dem gar eingeschlossen ist, daß
ein Fürst nicht nur Gott allein verantwortlich ist, sondern
sich auch nur gegen ihn vergehen kann.[2] Nicht zuletzt Luther
hatte den göttlichen Ursprung des fürstlichen Amtes betont,
und Gryphius war überzeugter Lutheraner. Das Entsetzliche
an der Hinrichtung Karls war für ihn nicht die Tatsache der
Ermordung eines Königs – das war in der Geschichte Englands vielfach geschehen; es ist, wie es Gryphius ausdrückt,
»der Insell Art« (II, 196); das Ungeheuerliche war der Umstand, daß dies unter dem Schein der Gerechtigkeit geschah,
daß ein Prozeß geführt und ein offizielles Todesurteil abge-
faßt wurde. Das Blasphemische des Unterfangens lag darin,
daß sich die Gegner des Königs mit dem Mantel der Religion
umhüllten, wie der Independentenführer Hugo Peter, und
ihre Mordtat als von Gott inspiriert verrichteten, wie Wilhelm Hewlett (III, 53 ff.). Gryphius stellt die Heuchelei der
Gruppe im Dialog zwischen Fairfax, Hugo Peter und Cromwell (III, 261 ff.) als puren Machtegoismus bloß und ent-
larvt den Mißbrauch der Religion im allegorischen Zwischenspiel des Reyens nach der vierten Abhandlung. Er macht
ferner auf die möglichen Folgen aufmerksam, falls die Ereignisse in England zum Präzedenzfall für ganz Europa würden. Die gesamte soziale Ordnung Europas scheint ihm unsicher geworden, wenn sich Knechte zu Richtern über die
Gottgesalbten erheben, die er »Europens Götter« nennt (III

2. Vgl. Albrecht Schöne, *Ermordete Majestät. Oder Carolus Stuardu,*
König von Groß Britanien. In: Gerhard Kaiser (Hrsg.), Die Dramen des
Andreas Gryphius. Eine Sammlung von Einzelinterpretationen. Stuttgart
1968, S. 141 (vgl. Literaturverzeichnis).

529). Der *Carolus Stuardus* unterscheidet sich damit von den anderen Dramen Gryphius' insofern, als der Stoff nicht der weit zurückliegenden Geschichte oder der romanischen Novellistik entnommen ist; es handelt sich vielmehr rein stofflich um die engagierte Dramatisierung zeitgenössischer Ereignisse, die von allgemeinem politischen Interesse waren.

All diese Elemente können dazu verleiten, den *Carolus Stuardus* als ein reines politisches Tendenzdrama zu interpretieren, als eine politische Streitschrift, ein Pamphlet in dramatischer Form[3], als einen Teil jener Literatur also, die bald nach der Exekution des Königs Europa überschwemmte und teilweise Gryphius zur Quelle diente. Schon die Textgeschichte deutet jedoch darauf hin, daß dieser Aspekt höchstens einen Teil des Gehalts ausmachen kann. Er bestimmt weder die Struktur des Dramas noch seinen eigentlichen überzeitlichen Gehalt.

Es ist nicht genau bekannt, wann Gryphius den *Carolus* verfaßt hat. Im Vorwort zu der hier abgedruckten zweiten Fassung behauptet er, er habe schon wenige Tage nach der Enthauptung Karls mit der Abfassung begonnen: »... Poema, qvod paucos intra dies attonito, atq; vix condito in hypogaeum REGIS cadavere sceleris horror expressit« (5,14 ff.). Willi Flemming hat wahrscheinlich gemacht, daß eine erste Fassung schon im März 1650 vorgelegen hat.[4] Das Drama wurde jedoch zum erstenmal im Rahmen der ersten Ausgabe der gesammelten Werke Gryphius' 1657 veröffentlicht (= A). Ein früherer Einzeldruck ist nicht bekannt. Von einer rauschhaften Niederschrift aus der Entrüstung des Augenblicks heraus kann nicht die Rede sein, weil sich eine ganze Anzahl von zeitgenössischen Quellen, Darstellungen der Ereignisse, nach-

3. Vgl. z. B. Mary E. Gilbert, ›*Carolus Stuardus*‹ *by Andreas Gryphius. A Contemporary Tragedy on the Execution of Charles I.* In: German Life and Letters, NS 3 (1949/50) S. 83; und Friedrich Gundolf, *Andreas Gryphius.* Heidelberg 1927, S. 41: »Das Drama ist dann auch nur eine schlecht verkleidete Parteischrift, eine entrüstete Diatribe gegen den Königsmord . . .«

4. Willi Flemming, *Andreas Gryphius und die Bühne.* Halle 1921, S. 445.

weisen läßt, die der Dichter bereits in dieser ersten Fassung A benutzt hat.[5] Die hier wiedergegebene Fassung des *Carolus* nach der Werkausgabe letzter Hand von 1663 (= B) ist von A so verschieden, »daß mit dem Erscheinen von B zwei Dramen vorlagen«.[6]

Warum hat sich Gryphius veranlaßt gesehen, das Drama so weitgehend umzuarbeiten? Zwei äußere Gründe mögen den Anlaß gegeben haben: Einmal die Tatsache, daß sich inzwischen seine düsteren Prognosen bestätigt hatten: Die Herrschaft Cromwells hatte sich als ein Zwischenspiel der monarchischen Geschichte Englands erwiesen. Der Sohn des ermordeten Fürsten hatte als König Karl II. den Thron bestiegen. Zum anderen war inzwischen neues Quellenmaterial erschienen, das nicht nur Gryphius' Interpretation der Ereignisse von 1649 bestätigte, sondern ihn anregte, den Gehalt der ersten Fassung zu vertiefen. Außer in unbedeutenden Lesarten unterscheidet sich A von B in folgenden Punkten:

1. B enthält eine neue erste Abhandlung mit dem Plan der Gattin des Fairfax, Karl zu retten. Dadurch wird die erste Abhandlung von A zur zweiten von B, während die zweite und dritte Abhandlung von A zu einer überproportional umfangreichen dritten Abhandlung von B verschmolzen werden.

2. Da sich Fairfax anscheinend zum Rettungsplan überreden läßt, muß er im folgenden eine gemäßigtere Haltung einnehmen als in A. Zu diesem Zweck hat Gryphius in der großen Diskussion zwischen Fairfax und Cromwell (III, 157) einfach die Rollen getauscht, ein Beispiel dafür, daß zumindest die Nebenfiguren des Dramas mehr Sprachrohr für Argumente als individuelle Gestalten sind.

5. Die Abhängigkeit Gryphius' von zeitgenössischen Quellen hat Gustav Schönle, *Das Trauerspiel ›Carolus Stuardus‹ des Andreas Gryphius*, Quellen und Gestaltung des Stoffes, Bonn 1933, untersucht. Eine übersichtliche Zusammenstellung der Quellen findet sich bei Hugh Powell, Vorwort der Ausgabe von *Carolus Stuardus*, Leicester 1955, S. CXXXV ff.

6. Hugh Powell, Vorwort zu Bd. 4 der Gesamtausgabe von Gryphius' deutschsprachigen Werken (Trauerspiele I), Tübingen 1964, S. XIII.

3. Der Dialog zwischen den Geistern Straffords und Lauds ist u. a. um eine Vision der zukünftigen Bestrafung der Königsmörder und die Wiedereinsetzung der Stuarts erweitert (II, 141–160).

4. In der fünften Abhandlung sind folgende Teile hinzugefügt:

a) Vers 45–96, wo u. a. berichtet wird, man habe Karl »durch der Haubtleut' Ausschuß« Vorschläge zur Rettung überbracht, die er zurückgewiesen habe.

b) Zeile 103–118, wo berichtet wird, daß Bischof Juxton Karl aus dem »Kirchenbuch« die Leidensgeschichte Christi vorgelesen habe.

c) Die Poleh-Szene (V, 157–260), in der sich der vom Wahnsinn getriebene Königsmörder selbst anklagt und Visionen der zukünftigen Ereignisse hat, zweifellos – wie die Visionen, die der Geist Lauds hat – ein geschickter Kunstgriff, um das Gryphius ja nun bekannte zukünftige Geschehen in das die Einheit der Zeit wahrende Drama einzuführen.

All diese Änderungen erscheinen zunächst überflüssig oder gar verfehlt. So hat man argumentiert, mit dem mißlungenen Rettungsversuch durch die Gemahlin des Fairfax gelinge es nicht, dem Mangel des Dramas an äußerer Handlung abzuhelfen. Große dramatische Möglichkeiten seien dadurch ungenutzt getrieben geblieben, daß diese Rettungsintrige im Sande verlaufe, ja offensichtlich einfach vergessen werde. Was hätte z. B. ein Shakespeare daraus gemacht? Hätte sich nicht aus dem blaß bleibenden Cromwell die Gestalt des dämonisch Bösen entwickeln lassen? – Beispiele für die früher weitverbreitete Wertung des Barockdramas mit zeitfremden Maßstäben. Das ausgewogene Verhältnis zwischen konkret-darstellender Abhandlung und interpretierend-abstrahierendem Reyen sei durch die Hinzufügung der neuen ersten Abhandlung zerstört worden, usw. Alle diese Vorwürfe verlieren jedoch ihre Gültigkeit, wenn man die Beobachtungen berücksichtigt, die Mary E. Gilbert in ihrem Aufsatz über den *Carolus* angedeu-

tet und die Albrecht Schöne wenige Jahre später ausführlicher
dargelegt hat: die Beobachtung, daß Karl mehr als ein Märtyrer ist, indem er im Verlauf des Dramas immer mehr auf
Christus hin stilisiert wird, ja schließlich mit ihm identisch
ist; ferner, daß das ganze Drama auch strukturell vom Vorbild der Leidensgeschichte bestimmt wird.[7]

Der *Carolus Stuardus* hat viele Züge mit Gryphius' Mär-
tyrertragödien *Catharina von Georgien* und *Papinianus* ge-
meinsam. Wie dort stirbt hier in unerschütterlicher Haltung
ein Mensch, der kompromißlos seine Überzeugungen gegenüber einer feindlichen Umwelt wahrt. In allen drei Dramen
bedingt die hohe soziale Stellung des Helden die Verwirk-
lichung des schon von Opitz postulierten Prinzips der Fall-
höhe, verbunden mit dem typisch barocken Prinzip des pa-
radoxen Umschlags der Werte, wie es uns besonders aus der
religiösen Epigrammatik des 17. Jahrhunderts geläufig ist:
Je tiefer der beständige Mensch in dieser vergänglichen Welt
zu sinken scheint, je mehr er gedemütigt wird, um so höher
steigt er innerlich. Er wird zum Märtyrer, wenn er aus seiner
Glaubensüberzeugung heraus die Einsicht in die Eitelkeit des
Irdischen in einem als Fest empfundenen Tod bewährt. Dieser paradoxe Umschlag der Werte wird im *Carolus* am au-
genfälligsten durch die Kronensymbolik am Ende des Dramas demonstriert: Während Karl die irdische Königskrone
längst verloren und die Dornenkrone des Märtyrers getragen
hat, harrt seiner nun – ein zweiter Umschlag – die ewige
»Ehren-Krohn«. Als er sich auf dem Schafott zum Tode be-
reitet, läßt Gryphius eine der zuschauenden Jungfrauen
sagen:

> Diß ist die letzte Cron! wohin verfällt die Pracht!
> Wohin der Erden Ruhm! wohin der Throne Macht!

                                                            (V, 419 f.)

7. Mary E. Gilbert, a. a. O., S. 81–91; Albrecht Schöne, a. a. O., S. 117
bis 169. Vgl. auch Hermann Isler, ›*Carolus Stuardus*‹, *Vom Wesen barocker Dramaturgie*. Phil. Diss. Basel 1966, S. 38 ff. Die folgende Interpretation geht in ihren Grundzügen auf diese Deutungen zurück.

Und wenige Zeilen später kommentiert der König in seiner Abschiedsrede:

> Nimm Erden / nimm was dein ist von uns hin!
> Der Ewikeiten Cron ist fort an mein Gewin   (V, 447 f.)

Gryphius selbst zitiert nicht zufällig in seiner letzten Anmerkung eine oft angeführte Quelle, deren Existenz zumindest fragwürdig ist[8], die »Beschreibung des Lebens und Todes des Königs Carls«:

> Die Glider der beeden Parlamente hatten ihm offtmals in ihren Bitt-Schrifften / Bottschafften und Declarationen verheissen / daß sie ihn zum grossen und glorieusen König machen wolten; welches sie nun auch gehalten / und seine vergäng- und beschwer-liche Dornen Crone / (so sie zu erst für Ihme bereitet) in eine unverweßliche Ehren-Krohn verändert. (140, 126 – 141, 132)[9]

Während jedoch die Märtyrerin Catharina ihrem Glauben treu bleibt, Chach Abas zurückweist und sich in eine schwärmerische Brautmystik Christi hineinsteigert; während Papinianus als Märtyrer des als sakral aufgefaßten Rechts die Gültigkeit absoluter Werte bewährt, unterscheidet sich Karl dadurch, daß er, Mensch und zugleich Herrscher, d. h. Träger der von Gott verliehenen Majestät, die Leidensgeschichte Christi nachvollzieht, ja im Vollzug dieses Leidens mehr und mehr mit Christus identisch wird.[10] Karl wird von seinen Gegnern nicht getötet, weil er seinen christlichen Glauben gegen heidnisches Barbarentum bewährt oder weil er sich

8. Vgl. Albrecht Schöne, a. a. O., S. 154.
9. Zur Symbolik der Kronentrias vgl. besonders Albrecht Schöne, a. a. O., S. 134 ff.
10. Albrecht Schöne, a. a. O., S. 168 verwendet für diesen Vorgang des Nachvollzugs den treffenden Ausdruck der ›Post-Figuration‹ als Analogiebildung zum Begriff der Prä-Figuration. – Hans-Jürgen Schings, *Die patristische und stoische Tradition bei Andreas Gryphius*. Untersuchungen zu den Dissertationes funebres und Trauerspielen. Köln u. Graz 1966 (Kölner Germanistische Studien 2), S. 269, kritisiert jedoch mit Recht, daß Schöne in der dichterischen Verwendung dieses Form- und

weigert, einen Befehl auszuführen, der seinen heiligsten Prinzipien zuwiderläuft, sondern weil er sich als von Gott eingesetzter und Gott allein verantwortlicher König begreift, der durch seine sakrosankte Existenz allein schon eine Bedrohung der Usurpatoren um Cromwell darstellt – wie Christus für die Hohenpriester. Um Karl in dieser Reinheit sterben lassen zu können, wäscht Gryphius ihn von jeglicher Schuld am Tode des Erzbischofs Laud rein. Der »Chor der ermordeten Engelländischen Könige« nach der ersten Abhandlung überdeckt die Skrupel des Königs, indem er ihn einen Fürsten nennt,

> dessen höchste Schuld
> Kein ander / als zu vil Geduld!   (I, 337 f.)

Zahlreiche Stellen spielen immer wieder auf die Christus-Identität Karls an: Schon in der zweiten Abhandlung sieht er selbst in Christus sein Vorbild:

> wir sind des Lebens sat /
> Vnd schaun den König an / der selbst ein Creutz betrat
> Verhast von seinem Volck / verlacht von seinen Scharen
> Verkennt von Ländern die auff ihn vertröstet waren /
> Den Freund / wie uns verkaufft / den Feind / wie uns
> verklagt /
> Vnd kränckt umb Frembde Schuld / und biß zum Tode
> plagt.   (II, 259 ff.)

Als in der fünften Abhandlung von der schlechten Behandlung des Königs durch den Pöbel berichtet wird, heißt es ausdrücklich:

> Ich schreck' / ein toller Bub spie in sein Angesicht.
> Vnd blärrt ihn grimmig an. Er schweigt und acht es nicht.
> Ja schätzt es ihm vor Ruhm dem Fürsten gleich zu werden;
> Der nichts denn Spott und Creutz und Speichel fand auf
> Erden   (V, 55 ff.)

Denkprinzips einen Säkularisationsvorgang zu erkennen glaubt. Gryphius nehme im Prinzip der figuralen Gestaltung offensichtlich alte martyrologische Motivik auf.

Und als Juxton ihm die Leidensgeschichte als im Kirchenbuch
für diesen Tag vorgeschrieben vorliest, läßt Gryphius den
berichtenden Grafen sagen:

> Er schôpffte wahre Lust / daß JEsus durch sein Leiden
> Sich fast den Tag mit ihm gewûrdigt abzuscheiden.
>
> (V, 117 f.)

Jedoch nicht genug damit, daß Karl im Verlauf des Dramas immer mehr in die Rolle Christi hineintritt: Die Leidensgeschichte
bestimmt auch die Struktur der Handlung, indem diese ihr
auch in den Nebenfiguren folgt. Gryphius hatte zwar in
einer seiner Quellen, Maiolo Bisaccionis *Historia delle Guerre
Civili de questi ultimi Tempi* (Venedig 1655), von einer Intrige der Gemahlin des Fairfax zur Rettung Karls gelesen
und in Philipp von Zesens *Die verschmähete / doch wieder
erhôhete Majestäht* ... (Amsterdam 1661) von einem Rettungsversuch der Hauptleute. Entscheidend ist aber nicht die
Tatsache, *daß* Gryphius für B neue Quellen benutzt hat, sondern *was* er aus diesen Quellen übernommen hat, so daß sie
– und damit seine quellenmäßig belegenden Anmerkungen –
die Funktion der Beglaubigung des nachvollzogenen heilsge-
schichtlichen Geschehens gewinnen. Die historische Belegbar-
keit einer Rettungsintrige hätte allein nicht ausgereicht, eine
solche in das Drama einzuführen, wohl aber der Umstand,
daß die Gemahlin des Fairfax geeignet war, in der Figuren-
konstellation der biblischen Geschichte die Gemahlin des Pi-
latus zu vertreten, und der jetzt zaudernde Feldherr den
römischen Landpfleger. Unter diesem Gesichtspunkt rückt
nicht nur der Sprecherwechsel im Dialog zwischen Cromwell
und Fairfax in ein neues Licht, sondern auch die Ergebnislo-
sigkeit der Intrige, die nun keineswegs mehr als Mangel an
dramatischem Können interpretiert werden darf. So, wie die
Gruppe Cromwell, Hewlett und Hugo Peter in die Rolle der
Hohenpriester rückt, muß auch der in B eingeführte Poleh
als Rollenträger gesehen werden. Sein Auftritt in der fünften Abhandlung dient also nicht *nur* der Bewältigung des

Zeitproblems, sondern entspricht der Selbstanklage des Judas, der sich verdammt weiß und sich selbst hinrichtet. In seiner fast ironisch verschlüsselten Anmerkung zu V, 157 sagt Gryphius über Poleh:

> Wer diser sey / ist vilen unverborgen. Ich schone noch des eigenen Namens. Er hat bereits sich selbst abgestrafft / und seinen Richter erlitten. (139, 81 ff.)

Daß Gryphius ausnahmsweise durch Anonymität einen Bösen schützt, ist höchst unwahrscheinlich.

Die Carolus-Christus-Gleichung erhält eine letzte Bestätigung dadurch, daß in den Visionen Maria Stuarts (II, 241 ff.) und Polehs die ganze Welt Karls Tod beklagt, die Natur aus ihrem gewohnten Lauf tritt und so die Ungeheuerlichkeit des Geschehens demonstriert:

> der unt're Kercker bricht!
> Die Tems brennt Schwefel-blau! ich schau die Sonne
> zittert!
> Der Tag verschwartzt! die Burg / ja Londen wird
> erschüttert!   (V, 240 ff.)

Im Schlußreyen der »Geister der ermordeten Könige« und der »Rache« geht ein Gewitter nieder, und die Erde bricht auf – Parallelen zum Bericht des Neuen Testaments. So wird in Gryphius' Drama die aktuelle Geschichte figural gedeutet. Der leidende Carolus tritt »als Sinnbild der Imitatio Christi auf die Bühne«.[11] Er bezieht für Gryphius seine innere Größe daraus, daß er das Schicksal Christi in Analogie nachvollzieht. Das zeitliche Geschehen bekommt einen überzeitlichen Sinn; Zeitgeschichte offenbart kosmische Bedeutung.

Es ist bezeichnend für Gryphius' Tragödien, daß die Bösen zwar rein äußerlich erfolgreich sein mögen, daß sie jedoch zumindest innerlich der Rache, der Strafe als Ausdruck der Gerechtigkeit Gottes nicht entgehen können. Die Weltord-

11. Albrecht Schöne, a. a. O., S. 166.

nung ist für den schlesischen Dramatiker intakt, heil. Ein
Vergehen gegen den unschuldigen Repräsentanten oder Zeugen Gottes (Catharina und Carolus) oder den Vertreter ethi-
scher Werte mit sakralem Bedeutungsinhalt (Papinian) fordert die Bestrafung durch Gott heraus, und zwar nicht erst
nach dem Tode, sondern hier, in diesem Leben. So wird
Chach Abas nach der Ermordung Catharinas von Gewissens-
bissen gepeinigt, die Märtyrertragödie wandelt sich fast zur
Rachetragödie.[12] Die Rachegeister wüten auch gegen den bru-
dermörderischen römischen Kaiser Bassian im *Papinianus*:
Schon im Reyen nach der zweiten Abhandlung gibt ihn Themis den »Rasereyen« preis. Das gleiche geschieht auch im
Carolus Stuardus: Karl vergibt zwar seinen Peinigern und
erfüllt damit das Beispiel und die Lehre Christi, doch ist
dadurch das Gericht Gottes nicht aufgehoben, dessen Wir-
kung auch hier schon innerhalb des Dramas einsetzt: Poleh
erkennt sich selbst als der eigentlich Verurteilte und hat die
Vision der gerichteten Königsmörder, und der Schlußreyen
ist ein Aufruf der Geister zu Rache und Gericht, kulminie-
rend in den drohenden Visionen der personifizierten Rache
selbst, die schwört, England zur Hölle zu machen, »Wo es
sich reuend nicht in Thränen gantz verteufft.« (V, 544). Die
Größe des begangenen Verbrechens, ja, *daß* es sich bei dem
Mord am König in Analogie und in Wirklichkeit um ein Verbrechen gegen Gott handelt, wird hierdurch ein letztes Mal
betont. –
Die sehr sparsamen Nachrichten über zeitgenössische Auffüh-
rungen des *Carolus Stuardus*[13] zeigen, daß das Drama längst
nicht so beliebt war wie z. B. *Leo Armenius* oder *Papinianus*.
Es ist möglich, den 1650 von Schülern in Thorn aufgeführten
Carolus als Gryphius' Drama anzunehmen, vorausgesetzt,

---

12. Vgl. Clemens Heselhaus, *Andreas Gryphius*, ›*Catharina von Georgien*‹. In: Benno von Wiese (Hrsg.), Das deutsche Drama vom Barock
bis zur Gegenwart, Bd. 1. Düsseldorf ²1960, S. 54 ff.
13. Vgl. zum folgenden Willi Flemming, a. a. O., S. 249 f. und Hugh
Powell, Vorwort der Ausgabe von *Carolus Stuardus*, a. a. O., S. CXXXII f.

daß es zu diesem Zeitpunkt schon fertiggestellt war. Gesichert ist eine Aufführung des Zittauer Schultheaters 1665, unsicher wiederum, ob bei einer Schulaufführung in Altenburg 1671 der Gryphsche *Carolus* aufgeführt wurde oder ein anderer. Es läßt sich nur mutmaßen, ob sich das Drama unter den Stücken Gryphius' befand, die wiederholt im Breslauer Elisabeth-Gymnasium inszeniert wurden; daß es jedoch eins der Dramen war, die Kurfürst Karl Ludwig von der Pfalz in Heidelberg aufführen ließ, verbürgt der Umstand, daß der Fürst ein Neffe Karls I. war und sich zur Zeit des englischen Bürgerkrieges in London aufgehalten hatte.

Inhalt

Andreas Gryphius

IN RECLAMS UNIVERSAL-BIBLIOTHEK

Philipp Reclam jun. Stuttgart